Elogios para *La pequeña oración que necesitas*

«Un librito encantador sobre la sanación de nuestros pensamientos basados en el miedo a través de la oración.»

—Dr. Jon Mundy,
autor de *Vivir Un curso de milagros*
y editor de la revista *Miracles*

«Supongamos que hay un camino hacia una vida mejor que realmente sea la cosa más sencilla, la ruta más directa a los efectos inmediatos. ¿Y si esto no te costara nada, tomara poco de tu tiempo y no tuviera absolutamente ningún riesgo de resultar contraproducente ni de lastimar a nadie más? Estás a punto de encontrar ese regalo en este libro, y pronto descubrirás que todos tus temores surgieron de la nada. Al hacer esto, también estás punto de embarcarte en una vida donde el perdón se convierte en una práctica tangible, y estar obsesionado con el miedo se convierte en una cosa del pasado.»

—Dr. Lee Jampolsky,
autor de *Sonríe aunque no tengas motivo*
y *Cómo decir sí cuando tu cuerpo dice no*

«*La pequeña oración que necesitas* de Debra Engle me dejó sin aliento cuando me senté a leerlo. Al igual que Engle, he sido estudiante de *Un curso de milagros* durante treinta años. Y también, como a ella, me ha enseñado todas las herramientas espirituales de las cuales dependo cada día. Sin embargo, su pequeña oración ofrece un atajo muy necesario rumbo a la vida llena de paz que todo el mundo, sea estudiante del Curso o no, puede utilizar todos los días. Cada hora, incluso minuto a minuto. Gracias, Debra. Necesitaba leer tu libro hoy. Necesitaba cambiar mi percepción sobre una situación actual y tu libro y oración hicieron justamente eso para mí.»

—Dra. Karen Casey,
autora de *Cada día un nuevo comienzo*

La pequeña oración que necesitas

La pequeña oración que necesitas

La ruta más corta hacia una vida de alegría, abundancia y paz interior

Debra Landwehr Engle

Título original: *The Only Little Prayer you Need.*
Traducción: Sandra Rodríguez

Diseño de portada: Alma Núñez y Miguel Ángel Chávez / Grupo Pictograma Ilustradores
Diseño de interiores: Patricia Pérez

Bajo el sello editorial DIANA M.R.
Avenida Presidente Masarik núm. 111, Piso 2
Colonia Polanco V Sección
Deleg. Miguel Hidalgo
C.P. 11560, México, D.F.
www.planetadelibros.com.mx

Primera edición: julio de 2015
ISBN: 978-607-07-2911-9

Impreso en los talleres de Litográfica Ingramex, S.A. de C.V.
Centeno núm. 162-1, colonia Granjas Esmeralda, México, D.F.
Impreso y hecho en México - *Printed and made in Mexico*

Contenido

Bendición de Su Santidad, el Dalai Lama

La sincera preocupación por los demás es el factor clave para mejorar nuestras vidas día a día. Cuando eres de corazón cálido, no hay espacio para la ira, los celos o la inseguridad. Una mente tranquila y segura de sí misma es la base de las relaciones felices y pacíficas entre los unos y los otros. Familias saludables y felices, y una nación sana y pacífica dependen de los corazones cálidos. Algunos científicos han observado que la ira y el miedo constantes carcomen nuestro sistema inmune, mientras que una mente tranquila lo fortalece.

Tenemos que ver cómo podemos cambiar fundamentalmente nuestro sistema educativo para que las personas desarrollen un corazón cálido desde el principio a fin de crear una sociedad más sana. No quiero decir que tengamos que cambiar todo el sistema, sólo mejorarlo. Tenemos que fomentar un entendimiento de que la paz interior proviene de depender de los valores humanos como el amor, la compasión, la tolerancia y la honestidad, y que la paz en el mundo depende de que los individuos encuentren la paz interior.

—Su Santidad, el Dalai Lama

Prefacio

Yo no soy del tipo de persona que normalmente le pida a alguien que ore. Eso siempre me ha parecido como sermonear: personal e impertinente. De hecho, incluso me encrespé ligeramente ante la palabra «oración,» junto con «Dios», «Jesús» y el «Espíritu Santo», porque esas palabras tienen significados muy específicos para cada individuo, y mi entendimiento puede ser muy diferente al de mi vecino.

Sin embargo, hace unos treinta años, empecé a estudiar *Un curso de milagros*, que se describe como «psicoterapia espiritual». Si bien este curso incluye el lenguaje cristiano, no es un camino hacia la religión, sino a la paz interior, una profunda paz que reside dentro de cada uno de nosotros con la ayuda de un poder superior.

Aunque he estudiado y enseñado el Curso durante años, todavía aprendo más sobre sus enseñanzas cada día, y a veces no en las formas más cómodas. Seguir cualquier ruta espiritual típicamente es como un laberinto. A medida que progresamos hacia adelante, es probable que tomemos una gran cantidad de desviaciones en el camino. No recibimos todas las respuestas a la vez. E incluso cuando sí tenemos un momento en el que decimos «¡ajá!», puede ser que nos encontremos en una parte nueva y difícil del laberinto que no habíamos visto antes.

Nuestro planeta vive una época en la que es necesario dar un paso hacia adelante, saltándonos años de divagación para poder movernos más directamente hacia la paz, tanto dentro de nosotros mismos como dentro de nuestro mundo.

Y es por eso que estoy escribiendo este libro. Esta historia es acerca de un acontecimiento aparentemente pequeño en mi vida, que cobró una importancia milagrosa debido a las lecciones que vinieron junto con él.

Yo no soy teóloga; de hecho, he encontrado la mayor parte de mi sustento espiritual fuera de la religión tradicional. Pero creo que estamos regresando a una época en la que «recordamos» y entendemos nuestra conexión individual con lo divino. Cada uno de nosotros tiene una relación directa con un poder superior y es al dirigirse a él y desarrollar esa relación que podemos experimentar lo que llamamos «cambios milagrosos» en nuestras vidas.

Mi esposo, Bob, y yo hemos tenido muchas tragedias y heridas en nuestras vidas. Ambos hemos pasado por el divorcio. Bob perdió a su hijo mayor debido a una enfermedad que nadie pudo identificar jamás. Ambos hemos conocido épocas de dificultades financieras. Y, en mi calidad de cofundadora de un programa de espiritualidad y crecimiento personal, he trabajado durante años con mujeres que están experimentando de todo, desde los efectos de por vida del abuso sexual a temprana edad, hasta la incertidumbre de su relación primaria, su etapa de la vida o el futuro de sus hijos debido a problemas de salud mental o de abuso de drogas.

La forma en que hacemos frente a todos estos desafíos define la calidad de nuestra vida y nuestra paz interior. Con el Curso, he aprendido que tratar de hacerlo sin la ayuda de un poder superior no nos va llevar hasta donde queremos ir.

Creo que cuando utilices la oración en este libro experimentarás un progreso constante hacia una vida de mayor paz interna. Gran parte del drama y el caos que te rodean se aquietarán. Y lo que quede tendrá menor impacto en ti, se te resbalará dado que ya no serás un portador voluntario.

Aunque suene loco, creo que esta oración es una *respuesta* a la oración. Es un camino hacia una vida mejor. Y es la cosa más sencilla posible. Ahora lo único que tenemos que hacer es realmente usarla.

Así que aquí estoy, pidiéndote que ores.

uno

La oración

Era el 11 de enero de 2013, y ya sentía como si hubiera sido un año largo. La semana anterior, había cometido un error significativo con un cliente importante. Y, aunque todo mi equipo del proyecto fue amable y comprensivo, se me dificultó perdonarme a mí misma por ello. De hecho, a las tres de la mañana del día siguiente me desperté con pánico de haberle enviado el archivo incorrecto al mismo cliente. Me sentí como si alguien me hubiera metido una antorcha encendida en la garganta a la fuerza.

Cansada, y claramente no con el mejor humor posible, me fui manejando del coche con mi marido, Bob, para recoger nuestro Honda CR-V en el taller de hojalatería. La puerta del conductor se había dañado en un accidente menor en el estacionamiento de una tienda de víveres. Después de alquilar una serie de coches, estaba lista para subir de nuevo a un vehículo a mi medida.

Cuando lo hice, me agradó ver que la abolladura había sido reparada, al igual que la brecha entre la ventana y el marco de la puerta. Bob abrió mi puerta del conductor para revisarla.

«Se ve bien», le dije. «Estoy feliz.»

Pero la puerta no cerraba bien. Bob la abrió y la cerró más fuerte, pero tuvo que cerrarla de golpe antes de que quedara asegurada. Mi estado de ánimo, que se había elevado momentáneamente, de nuevo comenzó a bajar por una pendiente descendente.

Bob habló con el gerente del taller de hojalatería e hizo los arreglos para que hubiera más reparaciones en el próximo par de semanas. Mientras tanto, pensamos, podríamos seguir adelante y devolver el auto rentado.

Conduje el CR-V, siguiendo a Bob por la carretera hacia la vía interestatal. Al poco tiempo, oí un traqueteo en el tablero, luego una vibración. Cada vez que golpeaba contra un tope en el camino, parecía que el traqueteo empeoraba. y lo mismo sucedía con mi actitud.

En realidad no está compuesto, pensé. *Tiene que regresar al taller, y nunca va a quedar bien*. A partir de ahí, mis pensamientos se fueron en picada. Pensé en el hecho de que el accidente hubiera sido evitable. *No habría pasado si yo hubiera conducido en lugar de Bob*. Mis pensamientos se dirigieron rápidamente hacia un pozo negro, y todos culpaban a Bob, al mecánico del taller de hojalatería o a mí misma por las semanas de molestias, gasto y frustración. Mientras conducía, me sentía más infeliz.

Yo no sé tú, pero yo he pasado *demasiado* tiempo en ese pozo negro a lo largo de mi vida. A pesar de que desde hace mucho tiempo he sido una estudiosa de las tradiciones espirituales, la meditación y las prácticas espirituales, e incluso las enseñé durante muchos años, todavía encuentro que tienden a irse demasiado hacia lo negativo. Puedo caer fácilmente en la irritación o la frustración. Cuando estoy estresada, soy poco amable e insolente, y a veces francamente malvada.

Cuando llegamos a la concesionaria de automóviles para devolver el auto rentado, yo estaba exhausta. No sólo por los últimos minutos de pensamientos negativos, sino por años de eso mismo. En este caso, tenía miedo de que el CR-V jamás quedara bien. Tenía miedo de jamás perdonar a Bob. Tenía miedo de siempre estar enojada porque él hubiera conducido el día del accidente. Tenía miedo de que no obtuviéramos un reembolso por parte de la compañía de seguros. Tenía miedo, igual que como lo había tenido muchas veces antes, de seguir siendo infeliz.

Había tenido todos estos pensamientos, o algún facsímil de ellos, literalmente cientos, si no es que miles de veces antes. Nuestros asuntos de dinero, eventos inesperados y el futuro nunca quedaron resueltos. No fue porque Bob y yo nunca habláramos sobre ellos; sí lo hicimos. Pero de alguna manera nada parecía cambiar realmente.

Mientras estaba sentada en el CR-V, en lo que Bob entraba para hacerse cargo del papeleo, yo en verdad quería hacer algo distinto, pero eso era justamente el asunto: *yo* no podía hacerlo. Mi mente había creado el problema, y no podía arreglarlo con esa misma mentalidad. Lo que quería era un soplo de aire fresco, un silbido de amor, aceptación, y sanación. Yo sabía que no podría provenir de mí. Tendría que venir de otro poder.

Pensé en mis opciones, y la única que parecía factible era pedir ayuda. Me recliné en el asiento del conductor, miré hacia el mar de coches en el estacionamiento de la concesionaria, y encontré que le decía estas palabras al Espíritu Santo:

Por favor
sana
mis
pensamientos basados
EN EL MIEDO.

Nunca había dicho esa oración anteriormente. De hecho, simplemente surgió. Y en ese momento, no me pareció nada excepcional. Después de todo, cuando sentimos dolor, nos dirigimos a un poder superior para sanar con las palabras que sean que salgan del corazón. Pero lo que sucedió después lo llevó a un nivel completamente diferente.

dos

Lo que significa

Cuando Bob se subió en el CR-V, yo todavía estaba de mal humor. La oración no había cambiado nada, o eso pensé.

«Bueno», empecé, con disposición bastante mala, «suenan grandes traqueteos en el tablero, y escuché que el viento entra por la ventana del conductor».

Bob tomó notas para el gerente del taller de hojalatería. «¿Algo más?», preguntó, con intención genuina de ayudar.

«No», le dije con tristeza mientras me adentraba en el tránsito. «Vas a escuchar el traqueteo cuando le peguemos a algunos topes.»

Entré en la vía interestatal, y Bob acomodó su oído para que diera hacia el tablero, a fin de escuchar de lo que yo estaba hablando. Le pegamos a un par de topes y. . . nada. Ningún traqueteo, ninguna vibración. Supuse que las vibraciones fueron ahogadas por el ruido de la carretera con tránsito pesado. Pero le pegamos a más topes. . . todavía nada.

Cuando habíamos recorrido alrededor de la mitad del camino rumbo a casa, Bob dijo: «Yo no he oído nada todavía, ¿tú sí?»

«No», le dije, casi decepcionada. ¿Cómo podía hacer que se sintiera culpable si nada estaba mal? «Lo escucharemos cuando lleguemos a la carretera», le dije, pensando que los topes más grandes revelarían el traqueteo.

Pero no hubo nada. Ni un solo sonido en todo el camino a casa. Los problemas parecían haber desaparecido.

¿Eh?, pensé, y seguí haciendo pucheros cuando llegamos a la entrada.

Cuando me metí, una parte de mí se alegró, y otra parte se sentía engañada. Yo quería castigar Bob al decir: «Mira, realmente está en mal estado y todo es por tu culpa».

Colgué mi abrigo, revise el correo y luego empecé a escuchar que mi voz interior hablaba. Esencialmente, esto es lo que dijo:

Cuando pediste que tus pensamientos fueran sanados, los detonadores externos para aquellos pensamientos ya no eran necesarios, así que el traqueteo desapareció.

Ah, pensé, en la manera mundana que a veces precede a un gran cambio. Un cambio en mi percepción *interna* acababa de cambiar mi entorno *externo*. Esto, dentro de las enseñanzas de *Un curso de milagros*, calificaría como un milagro, un retorno a lo que el Curso llama «mente correcta».

Mientras me sintiera traqueteada, necesitaba traqueteo en mi tablero para ayudarme a sanar. Pero cuando mis pensamientos fueron sanados, el traqueteo ya no era necesario.

Este momento de revelación se extendió a través de mí lentamente, como una bebida caliente. Me di cuenta de que era algo grande, algo que, a pesar de todos mis años de estudio espiritual, nunca antes había entendido exactamente de esta manera.

Wayne Dyer desde hace mucho tiempo ha dicho: «Cambia la forma en la que miras las cosas, y las cosas que miras cambian». En otras palabras, cambia tu percepción, y tu mundo se ve diferente.

Lo entiendo. Si creo que el mundo es un lugar que da miedo, voy a ver situaciones peligrosas en todas partes. Si cambio mi percepción y entonces creo que el mundo es un lugar seguro, voy a ver ayuda y apoyo en todas partes.

Pero esto era diferente.

«Cambia la forma
en la que miras
las cosas,
y las cosas
que miras
cambian.»

—Wayne Dyer

«Bob», le dije, «tenemos algo importante de qué hablar, y es algo muy bueno, así que vamos a sentarnos». Estoy segura de que pudo detectar un cambio en mi tono de voz.

Nos sentamos en la barra de la cocina, abrimos una bolsa de papitas Ruffles y una bolsa de zanahorias, y cada uno apoyó las piernas en la silla del otro como generalmente lo hacemos.

Le expliqué todo el viaje a las instalaciones de la empresa de alquiler de autos y lo enojada que había estado. Le dije cómo le pedí a mis sentimientos basados en el miedo que fueran sanados, después de lo cual el traqueteo en el coche había desaparecido.

«Creo que esto es lo que pasó», le dije. «Llegamos a esta vida con ciertas lecciones que aprender acerca del amor y la aceptación. Y entonces cada situación y relación está aquí para ayudarnos a ser más amorosos y dispuestos a aceptar. Nos dan oportunidades de aprender.»

«Cuando pedimos que nuestros pensamientos basados en el miedo sean sanados, estamos pidiendo que se reemplace el miedo con amor y aceptación. Cuando nuestros pensamientos son sanados, ya no necesitamos la lección, y las circunstancias o los problemas desaparecen.»

Me pareció que eso realmente era el secreto. *Cuando nuestros pensamientos son sanados, ya no necesitamos la lección, y las circunstancias o los problemas desaparecen.* También es increíblemente sencillo, por lo que luchamos contra ello o se nos olvida pedir ayuda. ¿Cómo podría ser tan eficaz si es tan fácil? Pero cuando nos acordamos de pedir que nuestros pensamientos sean sanados, no sólo somos cambiados *nosotros*, sino que además nuestros «problemas» al paso del tiempo pueden dejar de existir.

Después de saborear unas cuantas papas fritas y zanahorias más, Bob y yo sacamos una hoja de papel y anotamos todas las cosas importantes sobre las cuales tenemos pensamientos de temor. Dinero: ganar, gastar, ahorrar e invertir. Nuestro hogar y nuestra propiedad. Nuestros negocios. Amigos y familiares. Hormonas. La economía. Conforme crecía la lista, nos dimos cuenta de que tenemos pensamientos basados en el miedo acerca de prácticamente todo de una u otra manera.

Luego, durante los siguientes treinta minutos, repasamos cada elemento de la lista, y tomamos turnos para pedir que nuestros pensamientos basados en el miedo fueran sanados para que pudiéramos reencontrar nuestros pensamientos correctos.

En algunos casos nuestras peticiones eran genéricas; en algunos casos eran más específicas. En cuanto a la salud, Bob pidió que sus pensamientos basados en el miedo acerca del glaucoma y de su intolerancia al gluten fueran sanados. En cuanto al dinero, pedí que mis temores acerca de los ahorros para la jubilación fueran sanados.

Repasamos la lista entera, nos tomamos nuestro tiempo y pensamos bien en cada punto. Cuando terminamos, no estábamos seguros de lo que acababa de ocurrir, o de lo que sucedería después. Pero te puedo decir una cosa: mi mal humor se había ido desde hacía mucho, y la armonía se había restablecido.

tres

¿Qué es el miedo?

La historia del CR-V puede parecer común y corriente, pero eso realmente es el punto. En la vida, a menudo buscamos grandes historias, grandes milagros: la mujer que levanta el autobús para quitárselo de encima a su hijo, o la persona ciega cuya visión de repente es restaurada. Pero el verdadero milagro es el cambio en nuestras mentes que hace posible que vivamos una vida de alegría y paz, en lugar de una de lucha y caos interno. Esos milagros están disponibles para nosotros todos los días, simplemente al desplazarnos desde el miedo hasta el amor. El truco es hacer ese cambio de una manera real y duradera.

Es por eso que, después de que Bob y yo hablamos, la bebida caliente en mi interior se sentía más revitalizante conforme me daba cuenta lo profunda que era. Me senté ante la computadora y empecé a escribir al respecto. «¡Esto es algo GRANDE!», escribí. «¡Muy, muy GRANDE! No necesitamos solucionar el problema. Necesitamos que sean sanados nuestros pensamientos acerca del problema. Cuando hacemos eso, ya no se necesita la lección. Lo que sea que hubiera necesitado ser compuesto o sanado ya no será un problema.»

A riesgo de sonar demasiado dramática, creo que ésta es la respuesta que estamos buscando. Ésta es la única cosa que podría cambiar tu mundo.

Déjame decirte por qué creo esto tan firmemente.

De acuerdo con *Un curso de milagros*, nuestras mentes tienen dos lados. Uno es el ego: a diferencia de nuestra definición tradicional del ego, que connota gente que es jactanciosa o pagada de sí misma, el *Curso* hace que el ego parezca un niño de dos años de edad que ha consumido anfetaminas. Exigente, propenso a hacer rabietas y tener arrebatos, el ego es impulsado por el miedo.

La otra parte representa el Yo superior, que recuerda que somos hijos de Dios. Tranquilo y respetuoso, se comunica a través de susurros y codazos delicados mientras expresa y extiende el amor divino.

Vivimos en un mundo que alimenta nuestro ego con temor. Estamos bombardeados por mensajes basados en el miedo todos los días. El terrorismo nos atrapará, o lo harán los terremotos o el calentamiento global o la economía. Y estamos constantemente siendo juzgados o juzgándonos: por lo que traemos puesto, por nuestro cabello, nuestro coche, nuestra casa, nuestra productividad, nuestro desempeño en el trabajo, los logros de nuestros hijos y así sucesivamente. Una vez que comienzas a desglosarlo, ves que el miedo es penetrante, como un cáncer que ha llegado hasta adentro de nuestros huesos.

También podemos alimentar a nuestros Yos superiores en este mundo, pero lo hacemos de distinta manera, de una que no es tan emocionante como el gran drama puede llegar a ser. Lo alimentamos a través de la meditación, la reflexión sobre nosotros mismos, la quietud, el tiempo que estamos en medio de la naturaleza y otras actividades normalmente silenciosas que nos permiten escuchar la voz interior. Al hacer estas cosas, nos volvemos más conscientes de la luz dentro de nosotros, del amor que es la esencia de quienes somos.

Piénsalo de esta manera: nuestra esencia, o amor, es como una llama que nunca se apaga. Pero esa llama arde dentro de una linterna que está cubierta de tierra, de temor. Mientras más temerosos sean nuestros pensamientos, más opacas se volverán las paredes de la linterna, hasta que no podamos ver la llama de adentro en absoluto. Se nos puede olvidar que la llama está ahí, o podemos sentir que no tiene impacto en nuestras vidas, porque no sabemos cómo acceder a ella. En ese momento, el miedo gobierna nuestra existencia.

Es por eso que el *Curso* dice: «Tu tarea no es buscar amor, simplemente es encontrar todas las barreras dentro de ti mismo que has construido contra él». En otras palabras, conforme el mundo apila miedo encima de nuestra luz, nuestro trabajo es recordar esa luz interior. Cuando lo hacemos, cualquier cosa que pareciera ocultarla deja de existir.

Ahí es donde entra en juego la oración.

Por favor **sana** *mis* *pensamientos basados* EN EL MIEDO.

Veamos más detenidamente el miedo y el amor. Cuando enseño el *Curso*, encuentro que es útil imaginar dos árboles. Vamos a nombrar uno como «árbol del temor» y el otro como «árbol del amor».

Hago esto porque nuestras definiciones típicas de *temor* y *amor* son limitadas. Cuando pensamos en el miedo, solemos pensar en las cosas de las que tenemos miedo: cáncer, crisis económica, perder nuestros empleos, que nuestros niños se lastimen, pérdida personal, muerte.

Cuando pensamos en el amor, por lo general pensamos en el amor romántico, o en el amor que sentimos por nuestros hijos o nuestras mascotas, o nuestro mejor amigo.

Pero cuando te detienes a realmente pensar en ello, todas nuestras emociones tienen su origen ya sea en el árbol del temor o en el árbol del amor.

Las ramas del árbol del amor brindan bondad, compasión, cariño, creatividad, alegría, una actitud juguetona, paz, aceptación y lo más grande, el perdón; todos los sentimientos que tienen su origen en el amor.

Las ramas del árbol del temor brindan dolor, ira, maldad, violencia y lo más grande, emisión de juicios; todos los sentimientos que tienen su origen en el temor.

«Muchos de
los pensamientos
que tenemos cada día
—la inmensa mayoría
de ellos— tienen su
origen en el temor.»

De hecho, el temor brinda muchas cosas que generalmente no le atribuimos. Puede ser fácil, por ejemplo, ver cómo la preocupación tiene su origen en el miedo. Pero, ¿cómo es, digamos, que la jactancia es una forma de miedo? Bueno, vamos a rastrear desde dónde proviene: te sientes tan inseguro respecto a tu valor, que crees que debes demostrarlo, así que presumes acerca de tus logros. En realidad, temes no agradarle a la gente, no importar, no merecer estar aquí. Cuando eres jactancioso, realmente estás actuando a partir del temor.

Muchos de los pensamientos que tenemos cada día, y me refiero a la mayoría de ellos, tienen su origen en el temor. Y, sin embargo, no pensamos así en ellos porque se relacionan con lo mundano, como el traqueteo en el tablero. Claro, estamos conscientes de las amenazas principales: la pérdida del empleo, la muerte, la enfermedad que cambie la vida, el colapso financiero, los desastres naturales, los ataques terroristas. Pero lo insidioso del temor es que se cuela por las grietas que hay *entre* esas amenazas y se instala, y a menudo pasa desapercibido. Se convierte en una cubierta de oscuridad constante que nunca nos permite experimentar plenamente la luz interior.

Veamos una lista de pensamientos basados en el miedo a manera de referencia rápida.

- Abandono
- Ira
- Ansiedad

- Ataque
- Jactancia
- Bravuconería
- Control
- Conformidad, vivir de acuerdo a las expectativas de los demás a costa de tus dones únicos
- Depresión
- Falsa humildad
- Sentirse superior a los demás
- No sentirse lo suficientemente bueno, querido, como si no importaras
- Chisme
- Codicia
- Pesar
- Culpabilidad
- Inseguridad
- Irritabilidad
- Celos
- Emisión de juicios
- Soledad
- Malevolencia
- Martirio
- Maldad
- Necesidad de poder
- Nerviosismo
- Pánico

- Pesimismo
- Pobreza
- Venganza
- Sacrificio
- Tristeza
- Escasez
- Vergüenza
- Sospecha
- Desconfianza
- Infelicidad
- Violencia

Esto no es una lista completa. Y no estoy diciendo que estas emociones sean «malas». Son parte de nuestra experiencia humana. El pesar, por ejemplo, puede ser una expresión de amor, y es una parte importante de la sanación. La ira puede producir gran claridad.

El objetivo no es erradicar los pensamientos o las emociones de temor, sino hacerlos pasar de prácticas de pensamiento que están principalmente basadas en el miedo a unas que estén principalmente basadas en el amor. Veamos una lista de pensamientos basados en el amor:

- Aceptación
- Cuidado
- Comodidad
- Compasión

- Confianza en uno mismo
- Satisfacción
- Cortesía
- Creatividad
- Deleite
- Ánimo
- Expansión
- Perdón
- Libertad
- Generosidad
- Regalos
- Gracia
- Gratitud
- Sanación
- Honestidad
- Dicha
- Bondad
- Paciencia
- Paz
- Actitud juguetona
- Presencia
- Respeto
- Compartir
- Consuelo
- Tener buen corazón
- Disposición

Una cosa más: mencioné que emitir juicios es la nuez más grande en el árbol del temor. ¿Por qué? Porque nos hace pensar que estamos separados de los demás, sobre todo separados de Dios. Piensa en todo aquello a lo que emitir juicios puede conducir: intimidación, violencia, resentimiento, falta de perdón, soledad. En cada caso, emitir juicios conduce al aislamiento y a una mentalidad de «nosotros contra ellos». He aquí el ejemplo más simple:

Veo a una antigua compañera de clase y pienso: *Caray, se ve vieja. Seguramente subió treinta kilos. Y ¿por qué no se pinta el pelo? La haría verse mucho más joven.*

En primer lugar, *fuchi*. Pero estos son los tipos de pensamientos que pueden aparecerse en nuestra mente, ¿verdad? Sin embargo, ¿en realidad cómo es que esto es un ejemplo de temor? Y, además del hecho de que estos pensamientos son groseros, son pensamientos simplemente *no dichos*, así que ¿qué daño estamos haciendo?

Cada vez que juzgamos a otra persona, es nuestro ego que trata de hacerse sentir mejor al compararse y resultar ganador. Y eso significa que tenemos miedo de no ser lo suficientemente buenos, así que tenemos que derrotar a alguien más.

Por supuesto, sabemos que esto no funciona. Emitir juicios respecto a alguien no sólo *no* hace que te sientas mejor, de hecho hace que te sientas peor. Te hace sentir separado y solo. Así que te desconectas más de tu esencia como hijo de Dios, y te disminuyes un poco más. Amontonas más miedo encima de la luz que hay dentro de ti. Le untas un poco más de lodo a los lados de la linterna y la luz parece más tenue todavía.

Esto es lo que todos sabemos, ¿no? Es la regla de oro. Cada religión tiene una versión de ella. Algunas personas podrían honrarla porque creen que les permitirá ganarse la entrada al cielo. Pero aquí y ahora, es por una buena salud mental. Psicoterapia importante.

Piénsalo. ¿Por qué va la gente con los terapeutas? Porque se siente deprimida, se siente culpable, está en duelo, está enojada, no sabe cómo encontrar la paz en sí misma y en sus relaciones. La mayoría no está tratando de ganarse la entrada al cielo. Está tratando de experimentar alegría y paz interior justo ahora, todos los días.

De lo que estamos hablando es la clave para vivir con la paz de Dios *mientras estás aquí*. Se puede vivir en el infierno (temor) o en el cielo (amor). La oración nos recuerda que, cada minuto de cada día podemos hacer una mejor elección.

«Cada minuto
de cada día
podemos hacer
una mejor elección.»

He aquí unas cuantas cosas que podrías experimentar como resultado de la sanación de la oración.

- Estar menos irritable.
- Ser más paciente.
- Reír más.
- Ser más considerado.
- Sentir como si tuvieras más tiempo.
- Relajarte con mayor facilidad.
- Tener más energía.
- Sentir más armonía en tu hogar.
- Respetarte más a ti mismo y a los demás.
- Valorarte más.
- Soltar los resentimientos y la culpa.
- Preocuparte menos.
- Presionarte menos a ti mismo.
- Estar más presente contigo mismo y con los demás.
- Notar sucesos fortuitos más seguido.
- Ver el significado de los acontecimientos de la vida.
- Tomar decisiones con mayor facilidad.
- Preocuparte menos por el futuro.
- Hacer las cosas fáciles, en lugar de difíciles.
- Soltar la necesidad de luchar.
- Sentirte con más esperanza.
- Soltar las obligaciones que no te benefician.
- Sentir menos culpa o vergüenza.

- Preocuparte menos por lo que piensan los demás.
- Recuperarte más rápido del mal humor.
- Sentirte con mayor libertad para ser tú mismo.
- Confiar más en ti mismo, en los demás y en el mundo.
- Ser más claro acerca de lo que quieres y lo que no quieres.
- Decir «no» sin culpabilidad.

cuatro

¿Qué impacto tiene el miedo en tu vida?

Una de mis clientas, una exitosa propietaria de un negocio que tiene cuarenta y tantos años, me dijo que no cree jamás haber estado feliz. «He tenido días felices, como una vacación o un día que haya pasado con alguien, pero siempre existe esta nube de descontento que lo cubre todo. Me encantaría simplemente relajarme y pensar que todo va a estar bien, pero simplemente jamás he podido hacer eso».

Ésta es la razón por la cual la oración es tan importante.

El temor nos mantiene limitados a la infelicidad. Hace años, me sentí como si estuviera atrapada en una bolsa de plástico. Podía ver hacia afuera, y otros podían ver hacia adentro, pero algo me estaba limitando. Era el miedo, el miedo a ser yo misma, el miedo a expresar mis dones, el miedo a dejar que mi luz brillara.

¿Por qué es tan generalizado el miedo en nuestras vidas, y cómo es que toma un control tan firme sobre nosotros?

Nos enseñan a tener miedo desde el momento en que nacemos.

Es cierto que hay muchos peligros en este mundo físico, y el miedo actúa como nuestro protector. Impide que nos pongamos enfrente de un vehículo en movimiento, nos da una señal de alerta cuando estamos con personas que nos pudieran perjudicar, escoge atuendos que hagan juego de nuestro armario para que evitemos el ridículo y nos lleva con el doctor cuando necesitamos atención médica.

Pero hay una diferencia entre tomar decisiones inteligentes y pasar tu vida entera alimentándote del árbol del temor. A diferencia del amor, que nutre y fortalece tu vitalidad, el miedo agota tu energía y disminuye la alegría de vivir.

Los pensamientos basados en el miedo perpetúan un espejismo.

Un curso de milagros dice que, en este mundo, hay amor y hay temor. De los dos, sólo el amor es real, mientras que el temor es un espejismo. Esto puede ser un concepto difícil de entender a menos que lo veas de esta manera: si te vas hasta las raíces de cualquier pensamiento basado en el miedo, encontrarás el mismo temor central: *yo no importo*. Pero dado que todos somos hijos de Dios, esto simplemente no puede ser cierto. No puedes ser una extensión de Dios y no tener valor; no es posible. Así que todos los pensamientos basados en el miedo surgen de la nada, un espejismo. Es por ello que incluso las cicatrices más profundas de nuestra vida y nuestras sociedades pueden sanarse de forma rápida y completa si nos enfocamos en el perdón, en vez de permanecer concentrados en el temor.

Los pensamientos basados en el miedo pueden ser engañosos.

Nuestra preocupación por los demás, por ejemplo, podría parecer una parte natural de ser un padre o un amigo. Pero la preocupación es una negación de Dios, y eso es de lo que se trata el ego. Si realmente confiáramos en que todo sucede de acuerdo a un plan que no podemos entender y no necesitamos controlar, no nos preocuparíamos. Tendríamos paz interior, no debido a la negación ni en una forma impotente, sino con fuerza espiritual, al saber que nuestra función es honrar nuestra propia travesía y las travesías de los demás.

A veces preocuparnos por los demás, al igual que preocuparnos por nosotros mismos, es la manera del ego de decir: «¿Ves? Soy buena gente. Soy responsable. Me importa», cuando en realidad sólo es una manera de ocultar el hecho de que tenemos miedo. Preocuparnos por los demás hace que el miedo no sólo sea aceptable, sino que sea noble. Pero aquí está la verdad: que te importen los demás es amor; preocuparte por ellos es temor.

Somos adictos al temor.

Las personas que están en un programa de doce pasos confiesan que tienen un problema y que son impotentes ante él, y le ceden ese problema a un poder superior.

Pero eso es sólo para aquellos que han tocado fondo, ¿no?

Bueno, adivina qué. Todos hemos tocado fondo. Todos somos adictos, y a lo que somos adictos es al temor. Al igual que los pasos iniciales del programa de doce pasos, la oración le cede nuestros problemas a un poder superior que puede realizar la sanación que no somos capaces de lograr en nosotros mismos.

Éste es el caso en todas las situaciones que provienen del miedo, pero puede ser más fácil de ver en los casos de autosabotaje. El hijo de veinte años de edad de una amiga, por ejemplo, ha pasado varias semanas en la cárcel a lo largo del año pasado por robo y uso de drogas. Le dijo a su mamá que quiere hacer las cosas mejor, y no entiende por qué se sigue saboteando a sí mismo a pesar de que sabe que podría tomar otras decisiones.

¿La respuesta? El miedo.

Sé que parece extraño, ¿cómo puede alguien tener miedo de vivir *dentro* de la ley? ¿No tendría más sentido tener miedo de ir a la cárcel? Esta paradoja aparente ilustra la locura del ego. Mientras creas que no eres digno de una vida mejor, mientras te sientas culpable y te castigues por transgresiones del pasado, seguirás tomando decisiones a partir del miedo. Y a veces esas decisiones te llevarán a la cárcel.

«La oración le cede
nuestros problemas
a un poder superior
que puede realizar
la sanación que
no somos capaces
de lograr en
nosotros mismos.»

En cuanto al hijo de mi amiga, cada vez que trata de hacer un cambio positivo, el ego adictivo lo llama. Estar en la cárcel sólo es un reflejo de la forma en que está encarcelado por sus propios pensamientos. Por eso es que él, al igual que todos nosotros, necesita intervención divina. Sin importar cuáles sean nuestras transgresiones, desde lastimar a un ser amado hasta cometer un asesinato, nos cubrimos con capas de culpabilidad, lo cual refuerza el temor que rodea a nuestra luz interior. Como lo señala *Un curso de milagros*, no necesitamos el perdón de Dios, pues ya lo tenemos. Pero sí necesitamos el nuestro, con ayuda del Espíritu Santo.

Los pensamientos basados en el miedo se expresan en el cuerpo.

Sabemos que el estrés y la preocupación contribuyen a las dolencias físicas y hacen más lenta la capacidad del cuerpo para sanar. Pero hasta que empecé con la práctica de pedir que fueran sanados mis pensamientos basados en el miedo, no me había dado cuenta de lo mucho que mi cuerpo estaba absorbiendo y viviendo con temor.

Dado que desde entonces he cobrado mayor conciencia acerca de mis pensamientos y mi experiencia física, ahora puedo sentir cómo se me aprieta frecuentemente el estómago cuando estoy nerviosa o cómo se me encorvan los hombros cuando estoy estresada. Ahora estoy consciente de la frecuencia con la que mi mandíbula está apretada e incluso con la que mis dedos de los pies están enroscados. Ahora, un par de veces al día, me pongo en sintonía con mi cuerpo y siento cuánto temor está llevando consigo, y me relajo y pido que sean sanados todos mis pensamientos basados en el miedo.

Sé que la oración es buena para nuestra salud mental y emocional. No tengo ninguna duda de que también es buena para nuestra salud física.

Un enorme porcentaje de los pensamientos basados en el miedo se debe a la expectativa de cosas que nunca suceden.

Decir la oración hace que estés agudamente consciente de esto. Al pedir que tus pensamientos basados en el miedo sean sanados, puedes tener la certeza de que desparecerá lo que sea a lo que le tuvieras miedo. Puede no ocurrir inmediatamente, pero va a disminuir con el tiempo. Esto es un buen recordatorio del hecho de que la descripción de trabajo para tu vida no incluye la palabra «preocupación». De hecho, la preocupación en todas sus múltiples formas es sólo otro intento del ego por usurpar el control.

«La descripción de trabajo para tu vida no incluye la palabra "preocupación".»

Un enorme porcentaje de los pensamientos basados en el miedo tiene que ver con pequeñeces, pero nosotros las sacamos de proporción hasta convertirlas en un gran drama.

Creo que hacemos esto en parte para convencernos de que nuestras vidas tienen significado. Si tengo problemas, si estoy demasiado ocupado, si tengo que hacer frente a todas estas *cosas*, entonces debo de tener valor. Debo de importar. Eso es lo que el ego se dice a sí mismo. Pero hay una frase en *Un curso de milagros* que dice que nuestro ego no puede aceptar lo poco que necesitamos hacer. Eso es porque nunca tenemos que demostrar que merecemos estar aquí.

Tampoco tenemos que luchar contra nuestros miedos, aunque este concepto amenaza fuertemente al ego. A fin de cuentas, todo el mundo ama a los héroes: al chico universitario que estaba aterrorizado de hablar en público y venció el miedo a dar un discurso conmovedor. O la chica de un pueblo pequeño que se enfrenta a su temor y construye un negocio exitoso en la gran ciudad. A todos nos encanta ese momento de júbilo en el que decimos «¡lo logramos!» y matamos a los dragones que hay dentro de nosotros mismos y en el mundo que nos rodea. Es parte del drama humano. Sin embargo, a pesar de que superar los temores y luchar contra ellos puede fortalecer el carácter, esos enfoques también pueden hacer que el temor se vuelva real, al reforzar la idea de que estamos rotos o somos insuficientes en nuestra esencia.

Hace años me uní a un club grande de rotarios internacionales compuesto en un 95 por ciento por hombres y estaba lleno de líderes de negocios exitosos e influyentes. Cada vez que llegaba a una de las reuniones que hacían a la hora del almuerzo, me sentía como si no perteneciera. No traía puesto un traje, no tenía conexiones políticas y no dirigía una organización valuada en múltiples millones de dólares. Finalmente una persona sabia me dijo: «Si quieres que te acepten, comienza primero por aceptarlos.» Ah, había estado tan concentrada internamente en tratar de sobreponerme a mi miedo relacionado con encajar, que no había visto el panorama completo: el «problema» que estaba tratando de arreglar no existía.

Cuando pedimos que sean sanados nuestros pensamientos basados en el miedo, vemos que los dramas que nos preocupan, y que perpetuamos, importan mucho menos de lo que pensamos, y que importa más la esencia de quienes somos. No tenemos que justificarle nuestra existencia a nadie. Eso brinda una enorme paz interior.

Nuestro temor crea la propia cosa a la cual le tenemos miedo.

Tuve un momento revelatorio hace años, un día mientras tendía mi cama y pensaba acerca de algo bueno que había ocurrido en mi vida. Inmediatamente después de ese pensamiento, sentí una oleada de miedo.

«Cuando pedimos
que nuestros
pensamientos basados
en el miedo
sean sanados, vemos
que los dramas por
los cuales nos
preocupamos importan
mucho menos de lo
que pensamos.»

Decir que uno está esperando hasta que el otro zapato caiga al piso es una expresión en inglés que significa que se está a la expectativa de que pase algo malo tras algún suceso. ¿Cuándo iba a caer al piso el otro zapato? En ese momento (no lo estoy inventando), mi voz interior dijo muy claramente: «No hay ningún otro zapato». Y, al mismo tiempo, oí un ruido en mi armario del dormitorio. Cuando me asomé, vi un zapato en el suelo. Al parecer, había desafiado a la física y se había lanzado a sí mismo fuera del organizador de zapatos, sólo para comprobar el punto.

Bien, lo entiendo, me dije a mí misma y a quien fuera que estuviera escuchando. A partir de ese momento, desapareció mi temor a que «el otro zapato cayera al piso».

El hecho es que el único «zapato» que hay es el que creas con tus propias expectativas. Si piensas que algo negativo te ocurrirá, lo buscarás, lo anticiparás, lo magnetizarás, lo amplificarás y lo pondrás directamente en tu línea de visión. No es un rayo enviado por un Dios castigador, y no eres víctima de un universo aleatorio; simplemente es una creencia, una fruta del árbol del temor que aterriza con un porrazo en tu cabeza.

Así que considera que tal vez no estés siendo castigado, que no hay una hoja de puntuación cósmica que saque un balance de tus ganancias con las pérdidas. La libertad para disfrutar plenamente de todo en la vida está disponible para todos nosotros. Pero, como pasa con todo, primero tenemos que estar libres de las creencias que se interponen en nuestro camino.

El temor te mantiene atorado.

El temor es la razón por la cual, en lugar de salir y crear nuestros sueños, sólo jugueteamos al borde de ellos durante semanas, meses, incluso años. El ego constantemente crea excusas para evitar que avancemos: *No es el momento adecuado. No tengo el equipo adecuado. No sé lo suficiente. No tengo el título académico adecuado. No tengo suficiente dinero. Está lloviendo.*

Por lo general, estas excusas son un código que representa algo mucho más profundo: *Temo que no soy lo suficientemente bueno*. O, por el contrario: *Le temo a mi propio poder*. Por ejemplo, yo conozco a dos personas que han mostrado interés en las citas por Internet en el último par de años. Una estaba pensando al respecto, hizo su debida diligencia al investigar el servicio que fuera adecuado para ella, se inscribió y a las pocas semanas conoció a alguien con quien resultó tener excelente compatibilidad. El otro se ha dedicado a pensar, planear, leer y hablar acerca de ello, a prepararse para ello, durante más de un año. Esto puede ser exactamente lo que necesita, tiempo para procesar plenamente sus intenciones. O bien, podría ser que estuviera haciendo tiempo, y que su ego dijera: «Vamos a simular que estamos listos para una relación. Haremos todo lo previo a esto sin inscribirnos en realidad para poder convencernos de que hay progreso, aunque tengamos miedo de realmente conocer a alguien, ser felices y crecer».

«Cuando el pensamiento
basado en el miedo
está sanado, tienes
la libertad de dar pasos
hacia tu deseo sin
que haya barreras
que se interpongan
en el camino.»

La pista generalmente se detecta cuando alguien dice: «Oh, he estado ocupado, así que no he alcanzado a hacerlo todavía». He utilizado esa excusa durante años en relación a una variedad de proyectos. Estar ocupado es un señuelo, una excusa aceptada para: «tengo demasiado miedo para hacerlo». Cuando el pensamiento basado en el miedo está sanado, tienes la libertad de experimentar una claridad respecto al propósito y de dar pasos hacia tu deseo sin que haya barreras que se interpongan en el camino.

Así que, sea lo que sea: bajar de peso, hacer ejercicio con regularidad, ser sincero acerca de lo que quieres, asumir un papel de liderazgo, escribir un libro, iniciar tu propio negocio, expresar tus opiniones, dejar una relación o una situación que no te sirve, si sigues diciendo «Lo voy a hacer» y sigues planeando y preparando, pero nunca lo completas en realidad, *es probable que el miedo te esté estorbando.*

Los pensamientos basados en el miedo son seductores.

Son como las sirenas de la mitología griega: hermosas mujeres isleñas que cantaban canciones con encanto y atractivo. El único problema era que, cuando los marineros se dirigían hacia esas voces fascinantes, naufragaban en la costa rocosa.

Del mismo modo, los pensamientos basados en el miedo nos llaman con falsas promesas de seguridad: «Está bien tener un sueño, pero si lo sigues, es posible que fracases. Es mucho más seguro que sigas trabajando en este trabajo sin futuro. Al menos tienes un sueldo fijo».

«Claro, algunas de las personas en este vecindario necesitan ayuda, pero es mejor no involucrarse. Sólo atraes problemas si lo haces.»

«Me gustaría salir y hacer unos cuantos amigos, pero es mucho trabajo llegar a conocer a la gente. De todos modos probablemente ni siquiera conocería a alguien que me agradara.»

Cada vez que empezamos a navegar hacia la alegría y la felicidad, el ego nos llama de nuevo. Es por eso que necesitamos la intervención divina. El arrastre del ego es fuerte, estamos profundamente arraigados en el condicionamiento basado en el miedo y ese condicionamiento se refuerza minuto a minuto. Como resultado, se requiere extraordinaria voluntad, vigilancia y compromiso para liberarnos de él. Es por eso que, gracias a Dios, tenemos al Espíritu Santo.

El temor externo genera temor en el interior.

Sólo por un día, préstale atención a todos los mensajes basados en el miedo que escuches. Esos mensajes te asombrarán; incluyen todo desde «Es probable que seas víctima del robo de identidad», hasta «Si no tienes ahorrados 2 millones de dólares para tu jubilación para cuando tengas 50 años, pasarás los últimos años de tu vida en las calles».

Escucharás estadísticas alarmantes, sobre contraer cáncer o sobre lo improbable que será que encuentres pareja tras los 40 años; las probabilidades de tener un hijo con problemas de adicción, o de perder tu empleo. Y luego está la larga lista de síntomas (que por lo general incluye la muerte) que son efectos secundarios de los medicamentos que se anuncian en la tele. Incluso las conversaciones de oficina o en reuniones familiares a menudo se encaminan hacia el inminente colapso económico o la lucha de un pariente contra la enfermedad de Alzheimer. Y, siempre, el mensaje subyacente es: «Esto te puede pasar».

El punto es que, una vez que comienzas a sensibilizar la mente ante los mensajes de temor en tu mundo externo, verás lo arraigados que están en lo que leemos, escuchamos, vemos y platicamos todos los días, lo cual crea un trasfondo constante de inestabilidad.

«Sólo por un día,
préstale atención a
todos los mensajes
basados en el miedo
que escuches.»

El temor evita que experimentemos la vida como la oportunidad maravillosa que es.

Nos hace sintonizar un canal en el que todo parece aterrador. El pasado está lleno de culpa, vergüenza y arrepentimiento. El futuro se desconoce, y nos podría traer cualquier cosa, desde pobreza hacia finales de la vida hasta desastre ecológico, o ambas cosas. Y cuando dedicamos tanto tiempo a reflexionar sobre nuestros miedos del pasado y el futuro, perdemos la visión clara de la alegría disponible en el momento actual.

El miedo nos roba la dulzura y la delicadeza de la vida que es posible cuando tenemos paz interna. Cuando estamos drogados por el miedo, podríamos estar en el propio cielo y no reconocerlo como lo que es. Confundiríamos a los ángeles con los monos voladores de El Mago de Oz, y nos preocuparía quemarnos con el sol y más adelante desarrollar melanoma debido a toda esa luz brillante. Prácticamente puedo escuchar a tu ego cuando estés parado ante las puertas del cielo: «Espera», diría, «¡se me olvidó mi filtro con factor de protección solar 30!»

«Cuando estamos drogados por el miedo, podríamos estar en el propio cielo y no reconocerlo por lo que es.»

cinco

¿Qué hace que esta oración sea diferente?

Así es como solemos orar:

Por favor deja que gane mi equipo.

Por favor haz que mi mamá esté bien.

Por favor mantén a mis hijos a salvo.

Por favor ayúdame a conseguir este empleo.

Por favor ayúdame a ganar la lotería.

En otras palabras, pedimos que cambie algo o alguien *en nuestro entorno externo*. Para contrastarlo, piensa acerca de esta oración:

Por favor
sana
mis
pensamientos basados
EN EL MIEDO.

Con esta oración, no estás pidiendo ningún cambio en el mundo que te rodea. Estás pidiendo ser reacomodado *tú mismo*, a sabiendas de que el mundo a tu alrededor se reacomodará como resultado.

En otras palabras, es exactamente lo contrario a como solemos orar.

Tal vez alguna de tus oraciones vaya más o menos así: «Por favor ayúdanos a conseguir el dinero para pagar nuestra hipoteca este mes». Decir la oración puede ayudar a que te sientas como si la carga de la hipoteca de ese mes se hubiera retirado. Pero tu ego, la parte de ti que se alimenta del miedo, simplemente buscará nuevas preocupaciones financieras para tenerte despierto durante las noches. *Incluso si la podemos pagar este mes, ¿qué vamos a hacer el próximo mes? ¿Qué hago si pierdo mi empleo y nuestros ingresos se secan? ¿Qué pasa si me caigo y me rompo el brazo, y luego tenemos que pagar las cuentas médicas?* La oración da alivio temporal, pero no cambia nada *dentro de ti*, así que tus viejos patrones se mantienen intactos.

Por el contrario, pedir: «Por favor cura mis pensamientos acerca de nuestra hipoteca basados en el miedo», también te da una sensación de alivio. Pero en lugar de retirar sólo esa carga, además retira la necesidad de recrear ese miedo y aferrarse a él. Esta oración sana tu propio *deseo* de encontrar cargas y tu adicción a los pensamientos basados en el miedo, lo cual te da la libertad de vivir sin ese miedo y con mayor paz interior. Como resultado, tu situación financiera tiene la libertad para mejorar. Eso es lo que la hace tan diferente.

Cuando pides estar correctamente alineado con el amor, todo es posible. Tu vida comienza a cambiar a tu alrededor. El mundo de la forma cambia porque ahora se rige por el amor, en lugar de por el miedo. El traqueteo en tu tablero comienza a desaparecer porque ya no crees merecerlo, ni crees que las dificultades sean tu destino. El lodo se limpia de la linterna, y la luz brilla a través de ella sin que nada oculte su brillo.

Esto significa que todo lo que tiene raíces en el amor puede ser plenamente experimentado: la armonía, la abundancia, la alegría, el bienestar y la paz interior.

Esto elimina la necesidad de luchar. La lucha siempre tiene que ver con arreglar el problema o con ser lo suficientemente bueno o lo suficientemente bonita o lo suficientemente inteligente o lo suficientemente sagaz o con encontrar a la persona correcta o el trabajo correcto. Pero esto simplemente es pedir que nuestros pensamientos acerca de todas esas cosas sean sanados. Cuando hacemos eso, se elimina la necesidad de tener el problema, junto con las barreras que nos impiden experimentar la abundancia y la alegría en todas sus formas.

«Con esta oración,
estás pidiendo ser
reacomodado *tú mismo,*
a sabiendas de que el
mundo a tu alrededor
se reacomodará como
resultado.»

Los «problemas» o las cosas que necesitan ser corregidas sólo existen como oportunidades para que aprendamos a ser más amorosos, propensos a aceptar y compasivos. Incluso nuestros cuerpos son sólo vehículos en esta vida, y también proporcionan oportunidades para que aprendamos esas cosas.

Cuando nos aferramos al miedo, éste nos paraliza, nos agobia, nos vuelve más lentos, nos golpea y abusa de nosotros, incluso cuando no creemos estarlo dirigiendo hacia nosotros mismos o hacia el mundo que nos rodea. Y, sin siquiera saberlo, lo perpetuamos. Nuestro ego se asegura de ello.

Así que, de nuevo, no pidas que algo o alguien sea reparado o sanado. Pide que tus *pensamientos* sean sanados para que el amor pueda reemplazar al temor.

«La causa de tu temor
está en tu mente, no
en el mundo exterior.
Así que cuando
sanas esa causa,
el efecto es cambiar
el mundo exterior.»

En lugar de pedir que tu
matrimonio sea sanado,
pide que tus pensamientos
basados en el miedo acerca
del matrimonio y de tu cónyuge
sean sanados.

En lugar de pedir que tu
situación de dinero sea sanada,
pide que tus pensamientos
basados en el miedo acerca
del dinero sean sanados.

En lugar de pedir que tu cuerpo sea sanado, pide que tus pensamientos basados en el miedo acerca de tu cuerpo sean sanados.

En lugar de pedir llegar a casa de manera segura, pide que tus pensamientos basados en el miedo acerca del trayecto sean sanados.

En lugar de pedir sacarte un 10
en el examen, pide que tus
pensamientos basados en el miedo
acerca del estudio y el éxito
sean sanados.

En lugar de pedir que tu bebé esté
sano, pide que tus pensamientos
basados en el miedo acerca
de la salud de
tu bebé sean sanados.

¿Ves cómo funciona esto? Uno pide que el mundo exterior cambie para hacerte sentir feliz y seguro. El otro pide que tus pensamientos sean sanados. *Y como resultado, el mundo externo cambiará.*

La causa de tu temor está en tu mente, no en el mundo exterior. Así que cuando sanas esa causa, el efecto es cambiar el mundo exterior.

Lo que es muy emocionante de esta oración es que funciona en todos los niveles.

Sé que esto puede sonar de un optimismo redomado, ingenuo, simplista, idealista, o bien, simplemente extraño para algunas personas.

Es por eso que sé que funciona.

Nuestra sociedad cree en el miedo. Así que cuando presentas una idea que resuelve el miedo, y que de hecho lo disuelve, y no por nuestras propias acciones, parecerá imposible. Optimismo a ultranza es como algunos lo llamarían.

He aquí lo que dijo una mujer después de usar la oración:

> *La primera vez que la usé, de repente, el miedo se había ido. Pensé, wow, eso fue sencillo. Simplemente se fue.*
>
> *Conforme lo seguí haciendo, me di cuenta de que había creado un espacio. . . me permitió tener una mejor comprensión de lo que el temor podría ser, y tal vez una causa o dos. Dentro de ese espacio, no sentí el temor. Todo me pareció claro durante sólo un pequeño rato.*

Tras hacer esto durante dos o tres semanas, la siguiente vez que surgió un temor, no se instaló en mí, o yo no me instalé en él, porque había experimentado este alivio y este espacio y no era para un miedo específico; tuvo un efecto sanador general.

Si eso es optimismo a ultranza, sólo tengo una cosa que decir: Empecemos a ser optimistas a ultranza.

seis

¿Cómo se dice la oración?

La oración es sencilla, pero incluye muchos aspectos, así que vamos a desglosarla.

¿A quién estás dirigiendo la oración?

Esto puede parecer una pregunta tonta. ¿No se dirigen a Dios las oraciones? ¿O a Jesús, la Madre María, el Creador, Yahvé, Jehová, la Divina Inteligencia, el Origen u otro poder superior?

Me gustaría responder esa pregunta con un *sí* rotundo. Yo no soy una persona que discuta sobre asuntos muy específicos cuando se trata de la espiritualidad. Para mí, tus creencias (o tu carencia de ellas) son un asunto personal y sagrado, y confío en que vas a dirigir esta oración a la entidad o la energía que sea adecuada para ti. De hecho, incluso conozco agnósticos y ateos que aceptan la oración (a pesar de que no la llamarían de esa manera), porque reconocen su valor psicológico dentro de un mundo donde el pensamiento basado en el miedo es desenfrenado.

Tras decir eso, también te diré por qué cuando uso la oración, le pido específicamente al Espíritu Santo que sea el receptor. *Un curso de milagros* dice que el Espíritu Santo es el comunicador entre nosotros y Dios. El *Curso*, de hecho, describe al Espíritu Santo de innumerables maneras. Dice que nos enseña la diferencia entre el dolor y la alegría: «Aporta la luz de la verdad en medio de la oscuridad y permite que brille sobre ti». El Curso dice que el Espíritu Santo «parece ser una Voz, dado que en esa forma Él habla con la Palabra de Dios para ti. Parece ser un Guía que te lleva a través de un país lejano, por lo que necesitas esa forma de ayuda».

También dice que la venganza, o cualquier otra forma de miedo, no se puede compartir, ya que crea división y separación. «Otórgala por lo tanto al Espíritu Santo», dice el Curso, «el cual la deshará dentro de ti, ya que no pertenece en tu mente, que es parte de Dios».

Es por eso que le rezo al Espíritu Santo. Al mismo tiempo, no temo que nuestras oraciones no sean escuchadas, sin importar el nombre que invoquemos. Cuando las oraciones provienen de corazones amorosos, sin duda el corazón del amor los recibe.

¿Son importantes las palabras específicas?

No digo con frecuencia que tengas que hacer algo de cierta manera, especialmente cuando se trata de la espiritualidad, pero sí creo que las palabras hacen una diferencia, y te aconsejo que la digas de esta manera:

Por favor **sana** *mis pensamientos basados* EN EL MIEDO.

He aquí por qué:

Después del día del CR-V, empecé a usar la oración siempre que se aparecían pensamientos basados en el miedo (lo cual significa que la usé TODO el tiempo). Descubrí que decía: «Por favor *ayúdame* a dejar ir mis temores acerca de...» o «Por favor *déjame soltar* mis pensamientos basados en el miedo acerca de…»

Estas decisiones en cuanto a palabras pueden parecer menores, pero no lo son. Si le estoy pidiendo al Espíritu Santo que me *ayude* a dejar mis temores o a soltar mis pensamientos basados en el miedo, entonces estoy pidiendo *yo* ser parte de la solución. Y el hecho es que no lo puedo ser. No puedo resolver el problema con la misma mente que lo creó. Es simplemente el ego de dos años de edad que está tratando de imponerse de nuevo.

Nuestra experiencia humana es una historia en la que hay héroes y villanos, el amor es no correspondido y las personas tienen creencias como «sin dolor no hay ganancia». Vemos innumerables versiones de esa historia que se modelan una y otra vez hasta que el drama parece natural e inevitable. Así que no es de sorprender que los temores se muden a nuestra mente y se instalen durante largo plazo, y que pongan sus pies sobre el sofá, tomen lo que gusten del refrigerador y se nieguen a recoger lo que tiran. A pesar de lo exasperantes que son, se han vuelto tan familiares que ni siquiera sabemos si podríamos vivir sin ellos. Y aquí está el asunto: el ego no quiere que lo averigüemos.

Hay una razón por la cual la oración no es: «Por favor *ayúdame* a sanar estos pensamientos basados en el miedo». ¿Por qué? Porque la mayoría de nosotros somos pésimos para desalojar el miedo. Necesitamos que lo hagan por nosotros. De hecho, nuestro trabajo es no estorbar. Pero esto no es renunciar al deber; esto es admitir que nuestros pensamientos son el problema. Si tratamos de componer nuestros pensamientos basados en el miedo con más pensamientos basados en el miedo, solamente se van a mover en círculos, de nuevo nos van a golpear en la cara y aventarán al piso una bolsa de papas fritas vacía.

¿Por qué las palabras «basados en el miedo»?

Porque esas palabras lanzan una red amplia, y hacen que cobremos conciencia de los innumerables pensamientos que tienen sus raíces en el miedo.

Si la oración fuera: «Por favor sana mis pensamientos de temor», podríamos limitarnos a amenazas de las que *sabemos* que tenemos miedo, como alertas respecto a cuestiones de salud y cosas que hacen ruido en la noche.

Pero, como ya lo hemos visto, a pesar de que los pensamientos basados en el miedo tienen sus orígenes en el temor, no necesariamente pensamos que surjan de éste. La ira, por ejemplo, siempre es el resultado de algo dentro de mí que no se siente entero. Y, como lo indica *Un curso de milagros*, no es nada más que un intento por hacer que alguien más se sienta culpable para que yo me pueda sentir mejor. Quizá gritar me haga sentir, de momento más poderoso, reivindicado o moralmente correcto. Pero cuando eso se quite, y lo hará, tendré de nuevo el temor original: «no soy suficiente». Al usar el término «basado en el miedo,» encontrarás que más pensamientos que los que jamás imaginaste entran en esta cubeta.

«El término
"pensamientos
basados en el miedo"
reconoce que,
sin importar lo grande
que sea el temor,
es sólo un pensamiento,
y un pensamiento
puede ser cambiado.»

Además, el término «pensamientos basados en el miedo» reconoce que, sin importar lo grande que sea el temor, es sólo un pensamiento, y un pensamiento puede ser cambiado. El temor no se origina en el mundo fuera de ti; toma forma dentro de tu mente, *y luego le da forma al mundo tal y como lo conoces.*

Sin la ayuda del Espíritu Santo, eres como una lámpara que trata de encenderse a sí misma. Si la lámpara no está conectada a la toma de corriente que necesita, ninguna cantidad de intentos va a ayudar. Se va a inquietar y retorcer e insultar al cable eléctrico, mientras se siente cada vez más frustrada, hasta que se convenza de que la luz ya no es una posibilidad. Pero conéctala a la pared donde pueda recurrir a su fuente de energía y la frustración desaparecerá de inmediato. Ahora puede estar en un estado iluminado.

No existe un valor inherente en experimentar temor en ninguna variante. Dejarlo atrás no significa dejar atrás nada. No te quedes atrapado en la idea de que «deberías» experimentar ira y frustración en tu vida para estar plenamente vivo. Ése es un truco del ego. Y también lo es la idea de que podemos soltar totalmente el miedo sin ayuda del Espíritu Santo.

siete

Prestar atención a tus pensamientos

En los días posteriores al día del CR-V, me comprometí a convertir la oración en mi práctica espiritual. Pediría sanación, decidí, cada vez que detectara un pensamiento basado en el miedo.

Terminé por decirla a lo largo de todo el día.

Había pensado que estaba bastante en sintonía con mis pensamientos. Pero una vez que empecé a cobrar conciencia de los pensamientos basados en el miedo tan pronto como surgían, me di cuenta de lo ubicuos que eran. Tomaban un sinfín de formas, y nunca se detenían. Por ejemplo:

- *Acabo de estornudar. ¿Me estará dando un resfriado? No tengo tiempo para que me dé un resfriado.*
- *Bob se retrasó. ¿Estará bien? ¿La lluvia estará empezando a congelarse en las carreteras?*
- *Se encendió la luz del aceite de mi coche. ¿Cuánto tiempo habrá pasado desde que le cambié el aceite? ¿Qué tal si está bajo y dañé el motor?*
- *Tenemos que llevar a los gatos que viven en la granja a que los esterilicen antes de que sea demasiado tarde.*
- *¿Por qué siempre tengo que ser yo la que descargue la lavadora de platos?*

«Al pedir que tus
pensamientos
basados en el miedo
sean sanados,
se crea un nuevo
espacio dentro
de tu mente.»

Estos son pensamientos aparentemente benignos. Sin rabia ni problemas enormes. Sólo frustración, insatisfacción, culpa, etc; emociones cotidianas, de todos los días. Y eso es con lo que todos vivimos todo el tiempo, muchas veces sin siquiera estar conscientes de ello.

Otros pensamientos se relacionan con temores más profundos, tales como:

- *¿Alguna vez voy a encontrar una pareja para la vida? ¿Cómo puedo encontrar a alguien que me ame, si no soy digno de ser amado?*
- *La vida es una lucha constante, y no le veo ninguna salida.*
- *Estamos al borde de un colapso financiero. ¿Qué pasa si perdemos todo?*
- *Parece que no puedo hacer feliz a nadie, y el mundo va cuesta abajo. A fin de cuentas, ¿qué sentido tiene la vida?*

Cuando cobramos conciencia de nuestros pensamientos, podemos pedir que sean sanados. Es por eso que es importante prestarles atención. Sólo al saber lo que estás pensando es que puedes ver qué impacto tan negativo tienen sobre tu vida los pensamientos basados en el miedo. Entonces, mejor puedes pedir la sanación.

Cuando me enteré de que mi mente era MUCHO más tóxica de lo que había pensado, tomé el enfoque que tomarías ante un jardín lleno de malas hierbas: sacarlas de una en una y también usar un enfoque abarcador.

Conforme surgían, dije la oración: «Por favor, sana este pensamiento basado en el miedo». Y luego, de vez en cuando, agregaba un:

Por favor

sana todos

mis

pensamientos basados

EN EL MIEDO.

Definitivamente estaba en contacto con el Espíritu Santo... constantemente. Era como estar pegada al teléfono todo el día. Y cada vez que pensaba que podría colgar durante un rato... uy, otro pensamiento basado en el miedo se aparecía.

Como puedes ver, esto requiere prestar mucha atención a tus pensamientos, algo que puede resultarte fácil, o no. He encontrado que, cuando realmente nos ponemos en sintonía con nuestros pensamientos, podemos descubrir una larga lista de honor que surge del flujo de la conciencia y que incluye temor, irritación, negatividad y estancamiento, que repite las mismas ideas una y otra vez.

Usar esta oración no tiene que ver con el pensamiento positivo o con negar la realidad ni con simular que no importan las «cosas malas». Usar esta oración tiene que ver con pedir genuina y humildemente que tu mente sea sanada. Tiene que ver con liberarte de la mente del ego que desesperadamente quiere mantenerte atrapado y asustado.

Entonces, *¿cómo* le prestas atención a tus pensamientos si no estás acostumbrado a esto? Empieza por tomarte un minuto para entrar en sintonía. Comienza por escuchar el parloteo dentro de tu mente. Escucha hasta dar con los pensamientos que hacen que tu mente parezca una máquina de *pinball*, aquellos que rebotan a los lados y ruedan por todas partes, saltando una y otra vez.

«Usar esta
oración tiene
que ver con
pedir genuina
y humildemente
que tu mente
sea sanada.»

Varias técnicas pueden ayudarte a concentrarte en lo que hay dentro de tu cabeza.

Prueba escribir en un diario; simplemente siéntate con un papel y una pluma (o ante la computadora) y registra todo aquello que pase por tu mente durante cinco o diez minutos.

Sal a caminar solo y entra en sintonía con tus pensamientos.

O apaga la radio mientras estás conduciendo y ponle atención a aquello en lo que estás pensando.

También revisa en momentos claves del día:

- *¿Cuáles son tus primeros pensamientos por la mañana y los últimos de la noche?*
- *¿En qué piensas al salir de la casa o al volver al hogar?*
- *¿Qué pasa por tu mente cuando estás solo?*
- *¿Cuando estás con otra persona?*

No hay necesidad de juzgar estos pensamientos o de tratar de cambiarlos. Sólo debes estar consciente de ellos como si vieras pasar un desfile, al decir: «*Ey, mira eso, otro pensamiento basado en el miedo acerca de dinero*».

Y si no estás seguro de si un pensamiento está basado en el miedo o no, haz esta sencilla prueba. Pregúntate a ti mismo: *¿este pensamiento me hace sentir ligero y libre, o me hace sentir pesado y cansado?* Con esta prueba, la mayoría de los pensamientos basados en el miedo se revelarán a sí mismos por lo que son.

También puedes prestarle atención a tu cuerpo. Quizá no estés consciente del pensamiento, pero sí estás consciente del temor insistente que sientes en tu estómago. Eso es una indicación bastante certera.

A decir verdad, la mayoría de nosotros no dedicamos nuestros días a preocuparnos por un desastre nuclear. Más bien, nuestras cabezas están llenas de pensamientos acerca de pagar la factura del gas y de si vamos a decepcionar a alguien que nos importa.

La irritación constante de esos miedos más mundanos es como la etiqueta de borde afilado que viene en la parte posterior de un suéter, la cual te rasguña la base del cuello todo el día. Ni cuenta te das de lo molesto que estás hasta que llegas a casa, te arrancas el suéter y lo lanzas a la ropa sucia, y te preguntas por qué has estado de mal humor durante las últimas doce horas.

Pero cuando estamos en este estado de malestar inconsciente y llega un problema *mayor*, no tenemos las reservas emocionales para hacerle frente, o sobrerreaccionamos ante cualquier pequeña provocación.

A medida que te vayas volviendo más hábil para entrar en sintonía con tus pensamientos, cobrarás mayor conciencia de las maneras en que los temores tienen impacto sobre tu psique, y de cómo tomas decisiones basadas en el miedo, sin siquiera saber que lo estás haciendo.

Por ejemplo, una joven pareja recientemente compró una casa nueva. Ambos estaban emocionados de ser propietarios de un hogar por primera vez; trajeron la última carga de pertenencias hasta la casa y luego salieron con su hijo de un año de edad para celebrar. Cuando regresaron más tarde esa noche, encontraron que su casa había sido robada. Habían perdido varios artículos irremplazables, incluyendo dos banjos únicos en su tipo para tocar música folclórica. También perdieron algunas de las prendas de vestir de su bebé.

Se empezaron a preguntar a sí mismos y a Dios por qué había sucedido esto. ¿Habían hecho algo malo? ¿Se lo causaron a sí mismos? ¿Eran castigados por estar tan emocionados por la casa? En otras palabras, al mismo tiempo de que querían arremeter contra los ladrones, arremetieron contra ellos mismos debido al remordimiento y la culpa.

Esta es una respuesta común basada en el miedo que le entrega al ego evidencia de que el mundo es un lugar aterrorizante y peligroso donde no puedes confiar en nadie. Pero el mensaje más insidioso es éste: «¿Ven? Estaban emocionados y contentos por esa nueva casa, ¡y miren lo que sucedió!» Con eso, un pedazo de ti decide que la alegría invita el castigo. El que habla es el ego temeroso.

«Pregúntate a
ti mismo: ¿Este
pensamiento me
hace sentir ligero
y libre, o me
hace sentir pesado
y cansado?»

Cuando escuchas a ese ego temeroso, empiezas a sospechar de todo el mundo y nunca te permites ser plenamente feliz. En ese momento, ocurre la máxima ironía: crees que te has asegurado de estar a salvo de cualquier daño, pero de hecho te has encarcelado a ti mismo.

Al pedir que tus pensamientos basados en el miedo sean sanados, haces borrón y cuenta nueva. Se crea un nuevo espacio dentro de tu mente. Y en ese momento, cambia tu futuro completo, ya no estás definido por el persistente miedo del pasado.

ocho

¿Qué puedes esperar al iniciar?

Tu experiencia con la oración será tan única como lo eres tú. Cuando la empieces a decir, puede ser que veas algunos cambios instantáneos en tus propios miedos o circunstancias externas, o puede ser que no veas ninguno. No hay un calendario, ningún plano, ninguna manera única de hacer esto. Simplemente empieza a fijarte en tus pensamientos, en decir la oración, y ve qué sucede.

Habiendo dicho eso, he aquí algunas cosas que *podrían* ocurrirte. De nuevo, suelta cualquier expectativa y conviértete en testigo. Comprométete a decir la oración con regularidad durante al menos dos semanas antes de evaluar tu experiencia con ella.

Podrías estar emocionado con esto al principio y luego experimentar una rápida caída del entusiasmo.

Esto sucede porque la oración se dirige a tu Yo más elevado, el cual ve el valor de la misma y sabe que va a hacer una diferencia al paso del tiempo. Pero entonces el ruidoso ego de dos años de edad, cuya voz fácilmente evita que se escuche el Yo elevado que es más callado, se te pone enfrente y dice: «¡No tan rápido!». Tu ego se resistirá en todas las maneras posibles. Tratará de hacer que se te olvide la oración, la ridiculizará y te dirá que no está sirviendo. Intentará que te quedes dormido o que te enfermes con una fuerte gripe. Inventará crisis o gran agitación. Creará una abrumadora sensación de angustia o de fracaso justo cuando pensabas que las cosas en tu vida estaban mejorando. Utilizará cada herramienta que haya en su caja de herramientas para que pienses que esto es un desperdicio de tiempo tonto e inútil *debido a todas las cosas que le dan miedo*. Tu ego tiene miedo de que tus relaciones con los demás cambien, de que encuentres el amor, de que acabes en una relación enfermiza o de que experimentes más paz con las personas que te rodean. Tu ego teme que acabes de pagar sus cuentas y aumentes tu cuenta de ahorros. Teme que cumplas tu propósito de vida. Teme que ya no lo escuches, ya no estar a cargo. Más que nada, teme que vayas a crecer y ser verdaderamente feliz.

Así que, ¿qué debes hacer si te das cuenta de que te estás resistiendo contra la oración? Hazlo de todos modos. Escribe la oración y pégala con cinta adhesiva a tu tablero del coche. Escríbela en tu espejo del baño. Colócala al lado de tu cama para que la veas a primera hora en la mañana y también como última cosa durante la noche. O, como lo hizo una mujer, escríbela en docenas de pedazos de papel y pégalos por todos lados de la casa.

Sin importar qué piedras te lance tu ego a tu paso, es esencial seguir diciendo la oración, seguir pidiendo que tus pensamientos basados en el miedo sean sanados. Recuerda: usar la oración es una práctica, no una varita mágica.

Puedes encontrar nuevas razones para usar la oración cada día.

A medida que transcurra tu día, cada vez que estés a punto de embarcarte en una nueva actividad, toma un momento para detenerte y decir: «Por favor sana mis pensamientos basados en el miedo». Quizá vayas hacia una junta, estés planeando una conversación importante con un miembro de la familia o simplemente estés entrando al coche para hacer unos mandados. Sea lo que sea, respira y pide que tus pensamientos basados en el miedo sean sanados. Cuando hagas esto regularmente, encontrará s que tus sentimientos de estrés, preocupación o ansiedad disminuirán, y experimentarás tus días con una mayor tranquilidad.

Te pueden sorprender los mensajes de temor que vienen desde afuera de ti.

Comenzarás a entrar en sintonía y a escuchar el parloteo del mundo de manera diferente, incluyendo el noticiario de la noche, los titulares en internet y los chismes que provienen del cubículo de al lado. Te puede sorprender la dieta de drama que has estado ingiriendo sin siquiera saberlo, y puedes decidir limitar tu exposición al pensamiento y a las enseñanzas que se basan en el miedo.

«El parloteo de
la mente está
compuesto en gran
parte por miedo.
Sigue usando la oración,
y la oleada de
pensamientos basados
en el miedo
gradualmente se va
aquietar.»

Te pueden sorprender los mensajes de temor que vienen desde adentro de ti.

Verás que el parloteo de la mente está compuesto en gran parte por miedo. Quizá cobres conciencia de qué tan adicto has sido a él y de qué tan tóxicos son los pensamientos. Al principio, cuando los pensamientos basados en el miedo parecen implacables, puedes sentir como si estuvieras tratando de barrer el océano con una escoba. Sigue usando la oración, y la oleada de pensamientos basados en el miedo gradualmente se va aquietar.

Puedes ver luz en donde pensabas que había oscuridad.

A lo largo de años trabajando con gente en clases de crecimiento personal, he escuchado que muchas personas hacen alguna versión de esta pregunta: «¿Y si miro dentro de mi corazón y está lleno de serpientes y oscuridad?». Y mi respuesta es ésta: «Invariablemente, si miras dentro de tu corazón, encontrarás palomas y luz». Tememos el proceso de autodescubrimiento porque nuestros egos nos tienen convencidos de que *somos* nuestros pensamientos basados en el miedo. Pero cuando esos pensamientos son sanados, nuestra esencia como hijos de Dios se revela. Cuando empieces a usar la oración, pondrás la llave en la cerradura de una puerta que te asusta. Pero mantén abiertos los ojos; te asombrará la belleza que hay del otro lado de esa puerta.

Tu ego puede establecer una jerarquía de pensamientos basados en el miedo.

Puede empezar a decirte, por ejemplo, que el temor por un niño enfermo es importante, pero que el miedo a olvidar el nombre de alguien en una fiesta no lo es. En el mundo exterior, hay una diferencia. Pero internamente, ambos interfieren con tu tranquilidad.

Del mismo modo, el ego transforma la infelicidad en una competencia, como en este caso: «Nadie ha sufrido tanto como yo. Nadie puede posiblemente conocer el dolor que he atravesado». La verdad, por supuesto, es que todo el mundo experimenta pérdidas, enfermedad, reveses financieros, problemas con seres queridos, desastres naturales y una serie de otros desafíos. Aferrarse a la lucha como una insignia de honor es otro recurso del ego para hacer que te sientas separado, significativo y atorado.

Si comienzas a desestimar los temores porque no son lo suficientemente grandes, o porque son más grandes que los de nadie más, recuérdate a ti mismo que esos son los juicios del ego. La paz de Dios es tu objetivo, así que cualquier cosa que se interponga entre ti y esa paz está en un punto que requiere sanación.

Te puedes sentir desorientado.

Recuerda, el ego es como un niñito asustado. Usar esta oración es como empezar las lecciones diarias del «Libro de trabajo para estudiantes» que es parte de *Un curso de milagros*. Las lecciones están diseñadas para soltar tus apegos a todo lo que piensas que tiene significado en tu vida y vaciar tu antiguo sistema de creencias para que el amor pueda reemplazar al temor.

Hace años, entrevisté a estudiantes de un seminario para un proyecto de escritura. Describieron un proceso similar, uno en el cual sus antiguas creencias fueron borradas para que pudieran construir un sistema de creencias que les resultara auténtico. Me di cuenta de un patrón interesante entre ellos. Los estudiantes de primer año eran optimistas. Los estudiantes de tercer año eran sabios. Pero los estudiantes de segundo año se veían como si alguien le acababa de disparar a su perro. En ese estado de limbo entre las creencias antiguas y las nuevas, se sentían perdidos y a la deriva.

«La única
manera de sanar
viejas heridas
es reconocerlas,
no tenerlas
encerradas.»

Quizá no experimentes algo tan dramático. Pero dado que la oración es una amenaza total para el ego, que no te sorprenda si esa parte de ti empieza a hacer berrinches más fuertes. Esto te afectará en muchos niveles: espiritual, mental, emocional y físico. Puedes sentirte cansado, deshidratado y mareado. Pero, a pesar de lo incómodo que pueda ser, esto es una buena señal. Cuídate mucho y sigue diciendo la oración.

Tu corazón se puede abrir.

El proceso puede liberar emociones y heridas del pasado que no quieras sentir, por lo cual el ego mantiene cerrado tu corazón. Cree que te está protegiendo de esta manera. Pero la única manera de sanar viejas heridas es reconocerlas, no tenerlas encerradas. De hecho, mientras tu ego mantenga aprisionadas tus emociones, estarás atrapado como rehén. Date permiso de confesar las heridas, y encontrarás tranquilidad al otro lado.

Tu ego puede crear nuevas formas del mismo problema.

Por ejemplo: Marilyn ha estado casada desde hace más de veinte años y se siente frustrada con su marido. Siente que critica su peso, su inteligencia, la forma en que cocina, básicamente todo acerca de ella. Cuando hablamos de la raíz del problema y de lo importante que es que ella se valore más, pude ver una mirada específica en sus ojos. Era la mirada del ego que decía: «*Ay, no. ¿A quién* más *le puedo echar la culpa de este problema?*» Inmediatamente empezó a hablar acerca de una hermana que no la escucha y la hace sentir invisible. El mismo problema, con forma distinta.

A medida que empieces a usar la oración, tu ego será más insistente que nunca acerca de buscar la fuente del problema fuera de ti, a alguien a quien culpar, tal y como lo hice el día del CR-V cuando quería señalar como responsable del traqueteo al gerente del taller de hojalatería o a Bob.

«La mayoría
de los pensamientos
basados en
el miedo pueden
remontarse a la culpa,
la vergüenza y los juicios
respecto a
uno mismo...

… y todo eso nos
aparta de las
partes más singulares
y vibrantes de
nosotros mismos.»

Puedes sentir que un nuevo espacio se abre dentro de ti.

Muchas personas me cuentan que cuando dicen la oración inicialmente, su panorama interno cambia inmediatamente. Una mujer, alguien que escucha *mucho* a Dios, me dijo que, al decir la oración por primera vez oyó que el Espíritu le dijo: «POR FIN. ¡Ahora realmente podemos hacer algunas cosas!».

Otra mujer, que vive en México, estaba tan inspirada y liberada por la oración, que se sentó y comenzó a escribir un libro de sus memorias que había estado gestando durante años. «Siempre he tenido miedo al rechazo, la humillación y el ridículo», dice. «Viví con ellos toda mi vida. Así que aquí está mi reto para salir y correr el riesgo. De hecho, me siento en paz con ello.»

Y una mujer en Montana dijo esto respecto a la oración: «Me ha tranquilizado cuando he sentido agitación y me ha brindado descanso cuando he sido despertada. La tengo pegada en mi espacio de trabajo y en mi casa y me deleito al compartirla con otros que expresan que necesitan este alivio».

Puedes experimentar un nuevo nivel de autoaceptación.

La mayoría de los pensamientos basados en el miedo pueden remontarse a la culpa, la vergüenza y los juicios respecto a uno mismo, y todo eso nos aleja de las partes más singulares y vibrantes de nosotros mismos. Se requiere valor para ser todo lo que eres dentro de un mundo que funciona gracias a la conformidad, y esto es el motivo por el cual la oración puede ser la herramienta que te libere. Puedes sentirte atraído hacia una carrera que nadie espera. O a un talento que has mantenido oculto. O a una forma de expresarte por medio de ropa o música que nunca has revelado. O un secreto sobre abuso que nunca has compartido. O una orientación sexual que temes que te aparte de tu familia o tus amigos. Pregúntate: *¿qué parte de mí mismo he mantenido en el clóset?* Luego pide que tus pensamientos basados en el miedo al respecto sean sanados. Al principio, puedes experimentar breves momentos de recuperación, como si tu oxígeno hubiera sido restaurado. Sigue usando la oración hasta que esos momentos se conviertan en respiraciones largas y profundas, de conciencia de ti mismo y de amor.

nueve

¿Qué ocurre con el tiempo?

Pedir que tus pensamientos basados en el miedo sean sanados tiene un efecto acumulativo. No sólo vas a experimentar mayor paz interna, sino que tu tolerancia a los pensamientos basados en el miedo también puede disminuir. Cuando esos pensamientos lleguen a surgir, será más fácil reconocerlos, pedir que sean sanados y cambiar tu concentración hacia pensamientos amorosos, para que puedas experimentar más alegría, abundancia y bienestar.

¿Qué más puedes esperar después de haber usado la oración durante un tiempo?

La paz interior se convertirá en tu único objetivo.

Esto va contra todo lo que el miedo nos enseña o quiere que creamos. Nuestros egos quieren que pensemos que para estar felices necesitamos esa casa, ese coche, ese iPad, ese *lo que sea*, y entonces nos esforzamos por trabajar y entrenar y usar artimañas y engatusar para conseguir las cosas que pensamos que necesitamos. En cuanto al amor, las cosas pueden estar igualmente distorsionadas. Tras escuchar historias de tragedia romántica, podemos pensar que el amor es real sólo si es tenue o complicado.

De hecho, estamos bombardeados por mensajes que nos dicen que nuestra meta es ser ascendidos. . . o que nos vean como personas exitosas. . . o competir bien. . . o ganar. . . o tener más cosas en nuestra cochera que la gente que vive más adelante en la calle. *No* estamos bombardeados por mensajes que digan: «¿Qué tal si sólo buscas paz interior?»

Cuando ese pensamiento entra por primera vez en tu conciencia como una posibilidad real, tu ego probablemente diga: «¿Qué tan aburrido sería *eso*?» Pero cuando empiezas a considerar seriamente la posibilidad de una mente en paz, te encuentras con que en ella radican tu fuerza y tu verdad felicidad. Pasas a un estado interno de bienestar que ya no está determinado por lo que tienes o por quienes conozcas, y comienzas a sentirte inmune al temor, no porque hayas construido barreras ante el peligro, sino porque has desmantelado las barreras para el amor.

Irónicamente, en este lugar, todo lo que has estado buscando en el mundo externo puede aparecer. El amor de tu vida, el trabajo perfecto, el bienestar físico, la estabilidad financiera, la claridad acerca del sentido de tu vida, todo esto ahora es libre de fluir hacia tu vida porque, al pedir que tus pensamientos basados en el miedo sean sanados, ya no necesitas la lección, y los traqueteos desaparecen.

Verás más belleza en el mundo.

Imagina que estás en un jardín japonés lleno de árboles bonsai, follaje exótico y puentes delicados para cruzarse a pie que atraviesan arroyos suaves. Ahora imagínate que alguien paseó a su perro por el jardín y dejó un montón de mierda sobre el pasto. Tu ego quiere que te enfoques en ese montón. Hará que te enojes por eso. «¿Quién profanaría este lugar?», tu ego preguntará. «Alguien podría intervenir. ¡Deberían existir leyes acerca de estas cosas!»

Mientras tanto, al mismo tiempo que te estás molestando más y canalizando la ira del árbol del temor, docenas de personas están paseando por el jardín japonés, centrando su atención en lo exquisito que es.

Esta es nuestra elección en la vida. El ego quiere que nos quedemos pegados al montón de mierda, ajenos a la belleza del mundo que nos rodea. De hecho, cuando tu atención gira hacia un árbol en flor o un rayo de luz sobre un arbusto florido, tu ego te jalará de nuevo con otra razón para estar molesto por el montón que está frente a ti.

Pero cuando pides que tus pensamientos basados en el miedo sean sanados, el hechizo del ego se rompe, y quedas libre para pasear por el jardín. Un cuidador podría venir y limpiar el montón, o incluso tú mismo podrías desecharlo. En cualquier caso, el montón no tendrá poder sobre ti. ¿Por qué habría de tenerlo? Estarás ocupado disfrutando de la belleza que ha estado ahí todo el tiempo.

Te abres ante lo divino.

Un hombre que estaba experimentando problemas financieros comenzó a usar la oración y encontró que era más capaz de «escuchar para descubrir cuáles tienen que ser mis mejores acciones». Usar la oración consistentemente calla la mente para que no sólo puedas escuchar, sino que también puedas oír y discernir las acciones que provienen del amor más que del temor; en otras palabras, las acciones que te ayudarán a expandir el amor en el mundo.

Experimentarás mayor sencillez y más hallazgos fortuitos.

Las situaciones de la vida van a funcionar sin esfuerzo de tu parte, lo cual te recordará que, dado que el miedo no está en tu camino, eres libre de experimentar el flujo natural de la abundancia y la facilidad del universo. Puedes haber tenido estos tipos de experiencias en el pasado. Piensas que vas a llegar tarde a una cita, hasta que descubres que la persona con la que te vas a reunir también estaba atorada en el tráfico y llegó exactamente a la misma hora que tú. O necesitas dinero para tomar una clase que está fuera de tu presupuesto, y se presentará en la forma más inesperada. Una mujer se encontró dos billetes de 100 dólares en un libro que había comprado en una librería en la que todo cuesta la mitad de su precio. Había tenido el libro en su estante durante un año y llevaba parte leído antes de que el dinero se cayera delante de ella. Gastó el dinero inesperado en una clase de escritura que había querido tomar, lo cual la ha llevado a hacer un profundo cambio en su dirección en la vida. Estos casos de hallazgos fortuitos se multiplicarán cuando digas la oración y afirmes que todo es posible con el amor.

«Usar la oración
consistentemente
calla la mente
para que puedas oír
y discernir las
acciones que
provienen del
amor más
que del temor.»

Puedes experimentar otras rutas bacia la sanación.

Dado que la oración te traslada a un lugar de mayor paz y armonía, practicarla hace que otra sanación sea posible. Es muy similar a cuando tienes una migraña y no puedes pensar bien. Cuando se quita la migraña, experimentas una gran claridad. Las decisiones son más fáciles. Ahora puedes ver las cosas tal y como son.

Calmar el dolor, apaciguarlo y sentir que se va te permite relajarte en tu vida y tomar decisiones a partir de un lugar muy distinto que cuando el dolor está exacerbado y llena tu mente de dolor.

Te liberarás a ti mismo al renunciar al control.

Gastamos una cantidad enorme de energía en tratar de controlar nuestras relaciones, nuestro trabajo, nuestra salud, nuestras finanzas, nuestras listas de pendientes, esencialmente, al mundo que nos rodea. Esto no sólo es extenuante, sino que nos mantiene atrapados en el miedo crónico de que si soltamos algo, las cosas se van a desmoronar. ¿Y qué pasa si todo se desmorona a nuestro alrededor? Nos sentimos culpables. Pensamos que hemos fallado. El ciclo de centrifugado del miedo se acelera hasta llegar a la máxima velocidad.

Ésta es la razón por la cual los momentos clave de «soltar» a menudo llegan durante un momento de crisis. Podemos enfrentar una enfermedad que ponga en riesgo nuestra vida, un divorcio, la bancarrota o cualquier otra circunstancia que cambie la vida. O tal vez sólo lleguemos al punto en el que nos demos cuenta de que no somos grandes ni estamos a cargo de las cosas, y de que estamos cansados de simular que así es. En estos momentos, finalmente podemos recurrir a Dios y pedir ayuda.

Hay un pasaje maravilloso en *Un curso de milagros* acerca de la razón por la cual luchamos tan duro por la ilusión de control, y acerca de lo que descubrimos cuando finalmente nos rendimos. Dice: «...crees que sin el ego, todo sería un caos. Sin embargo, te aseguro que sin el ego, todo sería amor.»

Pide que tus pensamientos basados en el miedo sean sanados, y permitirás que la energía divina dirija tu vida. Es mucho más tranquilo, y también es un deleite constante ver lo perfectamente que las cosas pueden ser orquestadas cuando nos quitamos de en medio.

Puedes entenderte a ti mismo y a tu relación con Dios a un nivel más profundo.

Mi sobrino, un joven altamente espiritual, investigó sobre la genética de las plantas en su primer trabajo tras haber salido de la universidad. Empezó a usar la oración y por lo general sentía alivio inmediato. Luego, un día, tuvo una experiencia en el trabajo que llevó la oración a un nivel distinto.

Parece que tenía una propuesta respecto a cómo mejorar un proyecto, y le pidió a una compañera de trabajo su opinión. Estaba ansioso por mencionarle la idea a su jefe para mejorar su posición en el departamento.

Mi sobrino salió de la sala durante un par de minutos y, cuando regresó, encontró que su colega le estaba presentando la idea a su jefe y que tomaba todo el crédito. Mi sobrino sintió que lo había hecho a un lado y comenzó a sentir que la ira crecía dentro de él. «Era palpable», dijo. «Me habían robado algunos aplausos, y mi ego estaba ganando.»

Cuando tuvo unos minutos a solas, se sentó, cerró los ojos y pidió que sus pensamientos basados en el miedo fueran sanados. En lugar de obtener un alivio inmediato, esta vez sintió como si hubiera entrado en un diálogo con el Espíritu Santo. Sintió como si le dieran pie para ver de dónde surgía la ira y cómo era que tenía sus raíces en el miedo.

Cuando lo hizo, rastreó la ira hasta sus inicios. «Había pensado que impresionar a mi jefe era importante», dijo, «*como si yo todavía no fuera perfecto y completo tal y como soy*».

Exacto. Al pasar tiempo con la oración y ese diálogo interior, recordó que él es como un hijo de Dios. No sólo experimentó paz, sino que entonces se entendió a sí mismo y entendió su relación con Dios de una manera nueva.

Este es un excelente ejemplo del mensaje que recibí el día del CR-V, que cuando es sanado nuestro pensamiento basado en el miedo, los detonadores del miedo ya no son necesarios. En este caso, la oración ayudó a que mi sobrino se encontrara cara a cara con su propio valor. Al reconocerse a sí mismo como entero y completo, avanzó con mayor confianza como un hijo de Dios, con lo cual se volvió menos probable que experimentara situaciones similares en el futuro.

Podrás cumplir mejor tu propósito.

He visto que a la gente se le dificulta la pregunta «¿Cuál es mi propósito?» casi más que ninguna otra. Sin una misión que te impulse hacia adelante, es fácil cansarse y volverse apático respecto a la vida. Pero, ¿cómo encontrar ese propósito y cumplirlo, si está oculto debajo de capas de miedo? Estas capas pueden incluir sentimientos de *¿qué pensarán los demás?*, *¿esto será aceptable?*, *¿quién soy yo para desear esto?*, *¿me lo merezco?*, *es demasiado tarde para mí. He estado aburrido / con exceso de trabajo / cuidando de los demás durante tanto tiempo que ya no sé lo que quiero.*

Dado que encontrar y cumplir tu propósito significan mantenerte fiel a ti mismo y elegir el camino adecuado para ti, es una enorme amenaza para tu ego. No es de extrañar que a mucha gente se le dificulte este aspecto de su vida. Cuando te experimentas a ti mismo y experimentas tu vida a través de la lente del temor, ves obstáculos por todas partes. Pero cuando pides que esos pensamientos basados en el miedo sean sanados, verás que las respuestas comienzan a emerger, y que el universo brindará apoyo proveniente de los lugares más inesperados.

Tomarás un camino más directo hacia la alegría.

Una mujer recientemente me escribió y me dijo que ha hecho años de prácticas espirituales y de autosuperación. Ha ido con terapeutas, con sanadores y a clases, y ha leído innumerables libros de autoayuda. Cada uno de ellos le proporcionó herramientas, dijo, «pero ninguno de ellos me enseñó cómo ser feliz».

Esto se debe a que les falta la herramienta más sencilla y más eficaz de todas, pedirle al Espíritu Santo que sane la causa de raíz de su infelicidad: el pensamiento basado en el miedo. Puedo decir eso con certeza porque lo dejé de lado durante años. Incluso con la práctica espiritual, algo que por su propia naturaleza debería depender de la intervención divina, es fácil pasar por alto este ingrediente clave en particular. De hecho, cuando la oración se apareció por primera vez en mi vida, tuve un momento tipo «¿Cómo no lo pensé antes?», y reconocí que la ayuda que necesitaba había estado ahí todo el tiempo. Simplemente no había visto o no había recordado que pedirla fuera tan fácil.

Digamos, por ejemplo, que lees un libro acerca de la ley de la atracción. Estás emocionado de que vas a poder manifestar tus sueños, y entonces tu ego toma el control. *Bueno, claro, eso les puede funcionar a todos los demás, pero no a mí.* Esa es la forma del ego de decir: «Soy distinto y estoy solo, no soy lo suficientemente bueno y no soy digno». Hasta que esos pensamientos sean sanados, va a ser muy difícil crear la vida que quieres, porque tus miedos van a estar ahí, bloqueando la puerta.

Si estás usando afirmaciones, plática positiva contigo mismo, meditación, la práctica de llevar un diario u otras herramientas para el autoconocimiento, sigue adelante. Pero si, al mismo tiempo, también pides que sean sanados tus pensamientos basados en el miedo, tomarás un atajo significativo durante tu travesía interior.

Tendrás mayor capacidad de vivir en el ahora.

La mayoría de nuestros miedos están ligados al pasado o al futuro. Es por eso que vivir en el momento presente es tan deseable, y que parece tan difícil hacerlo durante un período sostenido. Si tratas de experimentar plenamente el ahora, probablemente descubras que puedes mantener tu concentración durante un tiempo corto, hasta que tu atención sea desviada, y lo más probable es que sea por el miedo. Vas a empezar a preocuparte por si alimentaste a los gatos antes de salir de la casa, o por dónde dejaste la nota de la tintorería, o por si se te olvidó el cumpleaños de alguien. Sin embargo, conforme uses la oración consistentemente, es posible que pases más tiempo en el presente, porque tu mente no estará tan abarrotada de distracciones basadas en el miedo.

Cambiarás el perfeccionismo por la perfección.

El perfeccionismo proviene del ego. La perfección proviene de Dios. El perfeccionismo es el temor de no ser lo suficientemente bueno y de tener que demostrar tu valía al no cometer un error. La perfección es la verdad de que estás completo y entero tal y como eres.

Al usar la oración consistentemente, cobras conciencia de que, como dice el *Curso*: «Nada de lo que realices, pienses, desees o hagas es necesario para establecer tu valor».

Te sentirás agradecido.

Al sentir la paz de Dios en tu interior, estarás lleno de agradecimiento. Y debido a que dirás «por favor» muy seguido, naturalmente querrás decir «gracias». Es imposible estar agradecido y simultáneamente tener pensamientos basados en el miedo. El simple acto de decir «gracias» será un apoyo significativo para la sanación brindada por la oración. Sólo imagina lo que esto hace para transformar el enfoque de tus pensamientos y, por lo tanto, todo tu ser. Empiezas a decir la oración una y otra vez, y cada vez que la dices, lo siguiente que haces es una expresión de agradecimiento automática. Esto es como arrojar cristales en un arroyo tóxico. En poco tiempo, el agua no puede evitar volverse más pura y reflejar la luz con mayor claridad.

«El
perfeccionismo
proviene
del ego.
La perfección
proviene
de Dios.»

Estarás satisfecho.

Una gran cantidad de miedo proviene de esa palabra indefinible: «suficiente». ¿Soy lo suficientemente delgada? ¿Tenemos suficiente dinero? ¿Nuestro coche es lo suficientemente nuevo? ¿Somos lo suficientemente exitosos? Para el ego basado en el miedo, nada jamás es suficiente, lo cual engendra insatisfacción interminable. Pide que tus pensamientos basados en el miedo sean sanados, y recordarás que eres suficiente. Ahí es donde encontrarás la paz interior.

«Eres suficiente.»

Vas a enfocarte menos en ver de dónde surgió el temor y más en sanarlo.

Tratar de averiguar por qué nos sentimos insatisfechos, por qué no podemos encontrar el amor, por qué no nos sentimos entusiasmados respecto a la vida, por qué nos preocupamos en exceso o por qué experimentamos cualquier otra cuestión puede ser aleccionador, pero también puede ser la manera del ego de mantenernos tan enfocados en el miedo que nunca lo superemos. Buscar la causa se puede volver parte de la lucha, otro ajuste en el ciclo de centrifugado del miedo. Recuerda que no necesitas saber qué provocó los pensamientos basados en el miedo; lo único que necesitas es la disposición para que sean sanados.

Vas a experimentar más amor en tu vida.

Cuando pides que sean sanados los pensamientos basados en el miedo, retiras los obstáculos que se interponen en el camino del amor.

Esto me sucedió hace años, cuando me había divorciado quince años atrás y estaba harta de reprobar la clase básica de Relaciones Sentimentales una y otra vez. Seguía atrayendo al mismo hombre en un paquete ligeramente distinto, a veces calvo, a veces chistoso, a veces exitoso, pero siempre, a fin de cuentas, no disponible.

«Cuando usas
la oración
consistentemente,
puedes dar y
recibir amor sin
que el miedo
se interponga
en el camino.»

Finalmente, un día, en una conversación con Dios, reconocí que yo no tenía idea, que no sabía cómo encontrar al hombre adecuado para mí. Lo que había pensado que *deseaba* en una pareja y lo que realmente *necesitaba* claramente eran diferentes, y no tenía el beneficio de mirar el panorama más completo para ver quién pudiera ser esa persona. A pesar de que yo no tenía las palabras para ello en ese entonces, estaba pidiendo que mis pensamientos basados en el miedo acerca de mí misma y de mi relación correcta fueran sanados.

Recuerdo claramente el momento en el que finalmente le cedí ese control a un poder superior. Experimenté la sensación de alivio y consuelo inmediato que sientes cuando alguien se presenta y dice: «Gracias por pedirlo. Permíteme que me haga cargo». Efectivamente, cinco semanas después, tras años de salir a citas en una forma basada en el miedo, conocí a Bob. Y como lo demostró el día del CR-V, no sólo somos excelentes compañeros, sino que también somos tanto maestros como alumnos, el uno del otro, a nivel espiritual.

Ahora parece muy sencillo. Antes de que pidiera ayuda, me manejaba a partir del miedo. Entonces, ¿qué encontraba? Relaciones basadas en el miedo. Después de pedir ayuda, las barreras ante el amor se desintegraron. Entonces, ¿qué encontré? Amor.

Cuando usas la oración consistentemente, puedes dar y recibir amor sin que el miedo se interponga en el camino.

Puedes volverte más sincero y vulnerable.

Un curso de milagros dice que tu vulnerabilidad es tu fuerza. Eso es porque, con tu vulnerabilidad puedes ser quien realmente eres sin juzgarte o temer los juicios de los demás.

Nuestro temor a ser juzgados adopta distintas formas. Podemos convertirnos en personas complacientes, al fijar expectativas imposiblemente altas para nosotros mismos, decir lo que creemos que los otros desean escuchar y descartar nuestros propios deseos, a fin de hacer que todos los demás estén contentos. O podemos irnos en otra dirección, y promovernos arrogantemente como si fuéramos mejores que los demás y pintar un retrato exagerado de quienes somos. *Un curso de milagros* a estas dos expresiones les llama «pequeñez» y «grandiosidad.» A pesar del hecho de que lucen distintas, ambas son ramas del mismo árbol del temor.

Cuando pides que tus pensamientos basados en el miedo sean sanados, allanas el camino para la «grandeza», una expresión de quien eres como hijo de Dios. Sin necesidad de demostrar tu valía, justificar tu existencia ni ocultar tus dones, estás parado en medio de la gracia y la paz, y sabes que es seguro ser simplemente tú mismo.

«Mientras
más reconozcas
los cambios
positivos,
más cambios
positivos
ocurrirán.»

Verás destellos de cambio en tu mundo.

Algunos cambios quizás sean sutiles, algunos quizás sean mucho más grandes y pronunciados. Puedes verlos en ti mismo, en las personas que te rodean o en tus circunstancias de vida. Presta atención cuando desaparezca el traqueteo de tu tablero, a pesar de que tu ego le reste importancia a esos momentos. Busca el milagro. Quizá no ocurra instantáneamente, pero eso no significa que las cosas no estén cambiando.

De hecho, mientras más reconozcas los cambios positivos, sin importar que tan leves sean, sin dudar de ellos, más cambios positivos ocurrirán. Considera llevar un diario para registrar los cambios que de otro modo pasarías por alto. Esto también te ayudará a contrarrestar la insistencia del ego de que abandones la oración.

Te volverás más propenso a perdonar.

Quizá creas que hay algunas cosas que no se pueden perdonar. Pero la falta de perdón perpetúa la separación. Te mantiene sumido en la ira, donde la paz interior no puede existir, y evita que recibas el perdón de los demás. Debido a esto, tu falta de perdón no castiga a la otra persona, simplemente te aprisiona.

Negarte a perdonar significa ponerte terco y cambiar la alegría por una sensación de rectitud. Esto es tan prevalente en nuestro mundo que, cuando vemos un ejemplo de perdón, nos impresiona. Piensa en la comunidad Amish en Pensilvania que perdonó al hombre que le disparó a diez de sus colegialas, y luego construyó la Escuela de Nueva Esperanza como un signo de la reconciliación. O Ronald Cotton, un hombre que, tras haber sido erróneamente encarcelado por violación y posteriormente liberado después de una prueba de ADN, no albergaba ninguna ira contra quien lo acusó y, de hecho, fue coautor junto con ella de un libro respecto a la reforma judicial. A menudo consideramos que semejantes casos de perdón son anomalías, como si fueran actos de los superhéroes.

Pero, ¿qué pasaría si el perdón fuera la norma, más que la excepción? Tu ego inmediatamente dirá: «Entonces todo el mundo se sentiría libre de hacer lo que quisiera». Pero la gente ataca porque tiene miedo. Un mundo más tolerante sería un mundo de menor temor y, finalmente, un mundo de menos ataque.

Tomar la decisión de perdonar significa preguntarte a ti mismo: «¿Preferirá estar en lo correcto o preferiría estar feliz?», antes de pagar por las acciones basadas en el miedo de otra persona al estar enojado por el resto de tu vida, pide que tus pensamientos basados en el miedo sean sanados. Te puede sorprender que aparezca un espacio, tanto en tu mente como en tu corazón, para una creencia distinta, así como para el regreso de la alegría.

Quizá tengas una mayor sensación de estar sobre tierra firme.

Durante una época en mi vida me sentí como un juego que habitualmente se encuentra en establecimientos de videojuegos llamado Whac-A-Mole, en el que topos salen de sus agujeros y el jugador debe golpearlos con un mazo. Cada vez que mi cabeza se asomaba por encima de la tierra, me pegaban en la cabeza. No es de extrañar que yo pensara que el mundo era un lugar aterrador.

Para cuando empecé a decir esta oración, ya había hecho tanto trabajo espiritual que más bien me sentía como un juguete inflable atado a una base. Me podrían golpear hasta tirarme de vez en cuando, pero siempre me volvería a parar de inmediato.

Pero sólo un par de semanas después de comenzar la oración, sentí como si ese juguete inflable hubiera sido puesto en libertad y ahora estuviera flotando sobre la superficie del agua. Rebotaba un poco pero me mantenía en posición vertical, y las corrientes me estaban llevando consigo.

Una gran razón para este cambio es que la oración sanó mis juicios acerca de mí misma. Generalmente dedicamos más tiempo de lo que pensamos a desempeñar un papel con el fin de hacer felices a los demás. Creemos que lo hacemos porque no queremos que los demás nos juzguen, pero en realidad lo hacemos porque nos estamos juzgando a nosotros mismos.

¿Quién soy yo *para seguir mi propio camino, para decir lo que pienso o para decir que no?* Cuando ese miedo se sana, cumplimos una de mis afirmaciones favoritas: *Lo que las otras personas piensen de mí no es asunto mío.* En otras palabras, dejamos de tomar las cosas como algo personal. Vivimos en medio de nuestra propia fuerza espiritual. Nos volvemos como el teflón, por lo que los miedos a los demás se nos resbalan. Cuando estamos en ese sitio, estamos sólidos, verdaderamente sobre tierra firme.

Ahora, en vez de que mis pensamientos se centren en lo que las otras personas piensen, puedo centrarme en la pregunta: «¿Estoy en paz?» Y, si la respuesta es no, no se trata de preguntarme: «¿Qué puedo arreglar o cómo puedo hacer que estén felices?» Se trata de decir…

Por favor

sana

mis

pensamientos basados

EN EL MIEDO.

diez

¿Cómo funciona la oración en la vida real?

El miedo es algo muy poderoso. Puede ser tan sutil y ponerse tantos disfraces distintos, que tal vez no sepamos a qué nos enfrentamos. Puede frenar nuestras vidas, hacer que permanezcamos demasiado tiempo en situaciones que no nos sirven e impedir que tomemos decisiones que puedan hacer que avancemos.

Para ayudarte a reconocer las áreas de tu vida en las cuales el miedo puede estar más presente de lo que crees, he aquí varias situaciones en las que el miedo ha jugado un papel importante. Incluso si tus circunstancias son distintas a éstas, utiliza la sugerencia al final de cada historia para pensar en un área de tu vida en la que la oración te pueda apoyar.

PARA LA MAYORÍA DE LAS PERSONAS, la idea de perder su trabajo, atravesar una ejecución hipotecaria, tener un problema crónico de salud o experimentar un cambio en las relaciones familiares sería suficiente para enviarlos en picada hacia el miedo. Pero imagínate enfrentar *esos cuatro* desafíos al mismo tiempo y sin embargo sentirte más calmado que nunca durante todo esto. Ese fue el caso de Shelley, quien asistió a un taller sobre *La pequeña oración que necesitas* en la víspera de ser despedida de su empleo corporativo.

Durante varios meses, el jefe de Shelley había intentado intimidarla para que renunciara a su trabajo, lo cual le hubiera ahorrado a la empresa un paquete de indemnización. Cada día se despertaba con pavor de ir a la oficina, al saber que una vez más sería sometida a las tácticas basadas en el miedo de su jefe.

Al mismo tiempo, Shelley y su esposo estaban tratando de vender su casa, pero descubrieron que había graves problemas estructurales con el *bungalow* más viejo, al que ahora le dicen de cariño «el Titanic». Debido a que hubiera costado mucho más reparar la casa de lo que valía, habían decidido hacer una venta corta y, posiblemente, una ejecución hipotecaria, lo cual sería una fuente de vergüenza, sin mencionar una fuente de incertidumbre con respecto a dónde iban a vivir ellos y su hija que tenía edad como para ir en la escuela primaria.

Por si eso no fuera suficiente, Shelley tiene la enfermedad de Graves, un trastorno autoinmune que afecta a la tiroides y la deja sin energía. Y recientemente se enteró de que su madre se va a mudar con ellos al Titanic, debido a cambios inesperados en su propia situación de vida.

Puede parecer como si el traqueteo en el tablero de Shelley no ha desaparecido desde que llegó al taller y empezó a usar la oración. De hecho, puede parecer que se ha multiplicado. Sin embargo, su marido ha notado que ella ahora sonríe más que nunca. ¿Por qué? «Estoy más tranquila que nunca», dice ella.

«Uso la oración cada hora, incluso minuto a minuto», dice Shelley. «Es casi una sensación de empoderamiento y gran valentía. En el pasado, me sentía como si estuviera asustada todo el tiempo, y tomaba decisiones precipitadas basadas en el miedo. Pero cuando reduces la velocidad y el miedo es sanado y experimentas la paz, tomas mejores decisiones.»

Como ya no está impulsada por el miedo, Shelley confía en que llegará el empleo correcto, y está explorando ideas para iniciar su propio negocio. «Hace cinco años, hubiera aceptado de inmediato la primera oferta de trabajo y hubiera estado completamente infeliz después de seis meses», dice. «Ahora soy capaz de dar un paso atrás, mirar el temor y pedir la sanación.»

La paz interior de Shelley también ha tenido impacto sobre su familia. «Siento que soy una persona más tranquila, así que proyecto más calma hacia mi familia», dice. «Lo que sea que estés proyectando puede afectar a todos en la casa.»

Su marido entiende la oración de manera distinta. Cuando Shelley regresó a casa después de estar en el taller de oración, le contó todo al respecto y le compartió la lista de temores que había escrito como parte de esa experiencia. Entonces ella le entregó una hoja de papel en blanco y le pidió que hiciera lo mismo. No se sorprendieron al descubrir que muchos de los mismos temores aparecieron en las listas de ambos.

«La oración cambia
nuestra mente
para que podamos
vivir en paz,
sin importar
lo que suceda a
nuestro alrededor.»

Ninguno de los dos esperaba tener que enfrentar tantos desafíos a la vez, pero Shelley cree en el adagio que indica que Dios no te da más de lo que puedas manejar. Ahora conoce el poder de que su miedo sea sanado.

«Sé que Dios está trabajando en mi vida. Puede que no sea de acuerdo a mi calendario o que no vaya exactamente como yo desearía, pero sé que Él está ahí y sé que Él está trabajando. La oración me ha dado la fe para saber que todo va a estar bien. No hay necesidad de tener miedo de nada. No creo que jamás vaya a volver a ser la Shelley asustadiza de nuevo.»

La historia de Shelley ilustra el poder de esta oración para hacer que ocurra un verdadero milagro: la oración cambia nuestra mente para que podamos vivir en paz, sin importar lo que suceda a nuestro alrededor.

Dudo que alguien pudiera culpar a Shelley si se enojara, se deprimiera o se sintiera abrumada en este momento. De hecho, el mundo la ha programado para hacerlo. ¿Acaso un empleo no es tu fuente de seguridad? ¿Acaso una casa no es fuente de refugio y comodidad? ¿Cómo podría ser que perdieras ambos y estuvieras tranquilo al respecto?

Ésta es la razón por la cual la oración funciona en la vida real: reemplaza las fuentes artificiales de seguridad, refugio y comodidad en nuestras vidas con lo verdadero: el recuerdo de nuestra conexión con Dios, lo cual es nuestra verdadera abundancia.

Shelley aún está lidiando con los desafíos, pero la *manera* en que está lidiando con ellos ha cambiado. Los aspectos externos de su vida ya no tienen poder sobre ella. Ahora todo tiene que ver con vivir a partir de un centro más pacífico, apoyado por el Espíritu.

> Si estás enfrentando la pérdida de un trabajo, hogar o relación que te brinda una sensación de seguridad, pide esto: *Por favor, sana mis pensamientos basados en el miedo para que pueda experimentar la comodidad y la seguridad a partir de mi verdadera Fuente.*

Una amiga en Texas está escribiendo un libro que quiere vender por internet y así lanzar un negocio que le permitirá mantenerse hasta su jubilación. Es periodista, y ha ganado tantos premios por sus reportajes de investigación que no le caben en una sola pared, así que no teme abordar temas difíciles ni adentrarse en situaciones nuevas. Pero cuando recibió un correo electrónico por parte de un experto en *marketing* por internet muy conocido acerca de una capacitación que resultaría ideal para ella, su ego se puso a trabajar:

- *Vas a tener que volar a Nueva York y reservar un hotel. Es mucho dinero.*
- *Si esperas, la capacitación probablemente se ofrezca en video por una cantidad mucho menor.*

- *Desarrolla primero el producto y pruébalo, y luego acude a una capacitación para que te orienten cuando tengas algo tangible que se pueda ver.*
- *Probablemente serás la única mujer que haya, o la única persona menor de setenta años. ¿Y si te aburres? ¿Y si simplemente no es tu grupo?*

Su ego generó toda una larga lista de temores y objeciones, y todos parecían razones perfectamente lógicas para quedarse en casa. Pero algo en ella quería decir *sí*. Algo acerca de este evento reafirmaba su deseo de expresarse en una forma que fuera fiel a la esencia de su ser, al tiempo de crear algo de valor que le permitiera mantenerse a lo largo del resto de su vida con alegría.

Esta es la trampa del ego. Mientras que el ego a veces suena como un niño de dos años de edad que no ha dormido durante días, también puede sonar como un contador que lleva puestos zapatos cómodos. Puede enumerar todas las razones para mantenerte pequeño, y para ti van a tener sentido porque son exactamente lo que muchos de tus amigos y parientes dirían. *Oh, ¡eso es DEMASIADO dinero! Es un riesgo tan grande... ¿y si no vale la pena? Va a estar helado en Manhattan en esa época del año, y ni siquiera tienes un abrigo para el invierno.* Todas estas excusas suenan perfectamente razonables, pero lo que el ego está diciendo en realidad es esto: «Estoy aterrado de que aprenderás, crecerás y encontrarás más alegría. Voy a hacer todo lo posible para mantenerte atrapado en el *status quo*, y voy a ser muy astuto al respecto al hacer que parezca que es a favor de tus propios intereses».

Así es como nos quedamos pequeños, aburridos e infelices.

La cosa es que la verdadera alegría no proviene de seguir un plan de contingencia. Proviene de hacer aquello que tienes miedo de hacer. De hecho, si tienes miedo de hacerlo, es una señal bastante buena de que eso es exactamente lo que *deberías* hacer, porque alimentaría a tu Yo superior.

Puedes tratar de convencerte a ti mismo de no tener miedo. O puedes pedirle al Espíritu Santo que sane tus pensamientos basados en el miedo y empezar a vivir con alegría desde hoy.

> Si tienes miedo de correr un riesgo y avanzar, pide esto: *Por favor, sana mis pensamientos basados en el miedo respecto a hacer lo que amo, para que pueda crear la vida de mis sueños.*

Quizás una de las preguntas más frecuentes sobre esta oración es la siguiente: «¿Cómo puede ayudarme la oración cuando he atravesado una pérdida? ¿Qué pasa si alguien que amo se ha muerto, una relación importante se ha terminado o he atravesado una crisis que me cambió la vida? ¿No es normal sentir pesar e ira?».

Por supuesto. Así es como una joven expresó la pregunta:

> Bueno, ¿qué pasa si los peores temores ya se han cumplido? Para mí, en lo personal, eso significa que mi inteligencia, mi capacidad atlética y mis habilidades sociales me fueron quitadas por un accidente automovilístico que ni siquiera fue mi culpa. Después de entregarle básicamente la totalidad de mi adolescencia a un grupo de jóvenes [actualmente tengo 25 años], me dirigí a la universidad para estudiar y, en un momento, mi vida básicamente quedó arruinada por causa de otro conductor. ¿Y ahora qué? Todavía paso cuatro días a la semana en la terapia, y realmente no hay mucha esperanza de que esto vaya a cambiar pronto.

Esto es lo que creo: Dios no es una entidad que imparta juicios o castigos, ni que permita que cosas malas le sucedan a las personas buenas. Más bien, creo que Dios es amor. Y como somos hijos de Dios, también somos amor.

En este mundo, sin embargo, nos enfrentamos a todo tipo de desafíos, en los cuales la ira y el pesar son naturales. Pero si puedes pedir que tus temores sean sanados, tus temores respecto a cómo lucirá tu vida, a lo que podrás y no podrás hacer, a cómo podrás alguna vez volver a *no* estar enojado, puedes abrirle la puerta a la alegría.

De nuevo, esto no tiene que ver sólo con tener pensamientos felices y esperar que las cosas cambien. Tiene que ver con pedir una sanación profunda y amplia a un poder superior para que puedas experimentar de nuevo paz en tu mente y tu corazón.

En ese lugar de paz, la vida es restaurada. No porque cambie tu cuerpo, ni porque cambie la persona o la relación que perdiste, sino porque se restaura tu recuerdo del amor. Conforme recuerdas al hijo de Dios que eres, la paz interior se vuelve posible una vez más.

> Si estás enfrentando el pesar y la ira, pide esto: *Por favor sana mis pensamientos basados en el miedo para que de nuevo pueda vivir con alegría.*

Las relaciones amorosas quizás estén más plagadas de miedo que casi ninguna otra área de nuestras vidas. Una de las historias que cuento en mis talleres de oración es la siguiente: yo de niña era una lectora voraz, y los libros que más dejaban huella en mí eran historias de amor no correspondido. Leí el final de *Lo que el viento se llevó* una y otra vez, pues trataba de *obligar con mi voluntad* a Rhett para que volviera con Scarlett. Devoré *Historia de amor* en una sola sentada una noche en la que me quedé en casa de mi mejor amiga, y las dos vimos la película dos veces. Nunca supimos de qué se murió Jenny, pero estábamos seguras de que Oliver la amaba porque podíamos ver el dolor en sus ojos.

Para cuando era adolescente, la programación estaba completa: el amor significaba pérdida, sacrificio y dolor del corazón, los cuales son formas de temor de primera clase. Y así, cuando un hombre se aparecía en mi vida, yo daba por hecho que algún día se iría. Y, aquí viene la parte divertida, yo saboteaba la relación sólo para darle un empujoncito. Entonces podría decir: «¿Ves? ¡No hay hombres buenos!», cuando en realidad mi ego había coreografiado todo este asunto por miedo.

Luego llegó Bob. Tras haber salido juntos durante unos tres meses, ya me había enseñado que me mantendría más caliente si en realidad me *abotonara* el abrigo en vez de sostenerlo con una mano para cerrarlo, y se había ofrecido como voluntario para colocar tiras protectoras contra el clima en mi casa porque, después de todo, se acercaba el invierno. Yo estaba corta de dinero, y podría ahorrar si lograba reducir mis facturas de calefacción. Había sido guiada hasta un príncipe azul que manejaba un Caravan de Dodge, un hombre que llevaba un suéter azul marino con el emblema de su empresa bordado en el pecho y que cargaba en su bolsillo papelitos con listas de pendientes por hacer que realmente completaba y tiraba.

Es por eso que tuve que tratar de sabotear la relación. No podría ser amor sin coerción, ¿verdad?

Mi ego se puso a trabajar el día en que Bob y yo fuimos a ver un espectáculo de caballos sementales de Lipitor. (En realidad no se llaman caballos sementales de Lipitor, pero el nombre empieza con *L* y es difícil de recordar, por lo que llamo a los sementales por el nombre de esta medicina.) Antes de que Bob y yo nos fuéramos rumbo al show, encontré algo sobre lo cual podía molestarme con él. Mientras estábamos sentados, viendo el espectáculo, mi ego se iba poniendo más indignado y encolerizado minuto a minuto. Para cuando los sementales hicieron su última caravana sincronizada, yo estaba llorando.

De camino a casa, no podía dejar de llorar. Pero me di cuenta de que las lágrimas no eran por mi ira falsa hacia Bob. Estaba llorando porque no quería que esta relación se acabara. Y, dada la forma en que estaba actuando, Bob hubiera tenido una perfecta justificación para abrir la puerta del pasajero, empujarme hacia afuera de la camioneta y seguir adelante con su caja de herramientas sin volverme a hablar jamás.

«Sólo tengo miedo de que uno de nosotros vaya a hacer algo para destruir esta relación», dije entre sollozos, y soné muy similar a como había sonado en esos días lluviosos en los que leía *Lo que el viento se llevó*. «Y no quiero que termine.»

«Bueno», dijo Bob, con su voz profunda, que resultaba suave y tranquilizadora. «Yo no veo una falta de voluntad por parte de ninguno de nosotros para hacer que esta relación funcione.»

Caray. Acababa de encontrarme cara a cara con el verdadero amor. No con el tipo de amor de jugar en la nieve como en

Historia de amor ni con el estilo de «me importa un bledo» de *Lo que el viento se llevó*, sino del tipo firme que te respalda incluso cuando te estás portando como demente.

Siempre había pensado que los hombres me habían abandonado. Pero podía ver que *yo* era quien se había ido, al elaborar planes para alejarlos y justificar dentro de mi mente que ellos habían hecho algo imperdonable, y luego dedicar más meses a lamentarme ante la falta de hombres disponibles en el mundo.

Pero en esta relación, Bob no estaba jugando el juego, así que yo tampoco podía hacerlo. Ante el perdón y la comprensión, el miedo fue superado ese día, y una nueva definición del amor tomó su lugar.

> Si no estás experimentando la relación amorosa que quieres en tu vida, pide esto: *Por favor, sana mis pensamientos basados en el miedo respecto a mi propio valor, que pueda tener el amor verdadero y firme que merezco.*

UNA ENFERMEDAD QUE CAMBIE LA VIDA puede ser tan devastadora para un ser amado como lo es para el paciente. Tal es el caso de Bill, a cuya esposa Gail le diagnosticaron cáncer de pulmón debido a la exposición al radón cuatro años atrás.

Bill usó a diario la Oración de la Serenidad para preservar la cordura, mientras que Gail se sometía a cirugías y quimioterapia. Parecía que los procedimientos habían funcionado, hasta que un día Gail experimentó dolor en la cadera.

Gail y yo nos habíamos conocido en una presentación tan sólo dos semanas atrás, cuando ella había recogido una tarjeta acerca de *La pequeña oración que necesitas*. «Parecía tan sencilla», dice. «Eso fue lo que me atrajo a ella.» Cuando se enteró de que el dolor en la cadera era una reincidencia de cáncer, Gail empezó a usar la oración, y Bill también.

«Dedico bastante tiempo a caminar», Bill me dice. «Descubro que estoy repitiendo la oración al ritmo de mi caminar en lugar de preocuparme excesivamente por lo que le está pasando a Gail. Me parece que todos los miedos se desvanecen.»

A Bill le gusta el hecho de que la oración sea corta y fácil de recordar, y le ha añadido sus propias palabras: «Todo va a estar bien. Pongo mi fe en Dios. No estoy solo. Dios está conmigo».

La oración no sólo ayuda mientras que Bill camina, sino también en medio de la noche cuando se despierta y comienza a pensar en el cáncer. «Me ayuda a sacar esas cosas de mi cabeza», dice.

El efecto calmante dura. Y ha encontrado consuelo en el lenguaje específico de la oración. «La frase de los "pensamientos basados en el miedo" ha ayudado mucho. Los temores no me parecen tan reales porque sólo son pensamientos. Le quita el poder al miedo.»

Bill y Gail han recibido buenas noticias recientemente, ya que no ha habido más reincidencias después de una ronda de radiación. En cuanto a Gail, ella practica permanecer en el momento, en vez de preocuparse por el futuro. «La verdadera mala palabra en nuestro mundo es "miedo"», dice. «Mientras más leo acerca del bienestar y el cáncer, veo que el miedo juega un papel enorme. Todo cambia cuando no está presente. Si nos quedamos en el ahora, en realidad no hay tanto de qué temer, ¿o sí?»

> Si estás enfrentando una preocupación por tu propia salud o la de seres queridos, pide esto: *Por favor, sana mis pensamientos basados en el miedo acerca del bienestar físico para que yo pueda convertirme en una presencia tranquila y sanadora para mí mismo y para los demás.*

LAURA TIENE UNA HISTORIA con la que probablemente todos los padres se pueden identificar. ¿Cómo le haces para permitir la independencia y el crecimiento, cuando quieres controlar el destino de las personas que más amas?

Para Laura, esto se aplica no sólo a la relación con sus hijos, sino también a la que tiene con los niños de su hermana, a quienes adoptó. Y también se aplica a su hermana, quien ha luchado durante mucho tiempo contra la adicción a las drogas y se mudó con Laura cuando fue liberada de la prisión.

«Yo era la hija mayor, y nuestra madre estuvo ausente», Laura dice, «así que siempre he estado en este papel de ser la jefa. A veces, en forma pasiva o bien pasiva-agresiva, he dicho: "Déjame ser quien esté a cargo". Para mí, el miedo y el control han ido de la mano. Si hay algo que me asusta, me aferro al control con más fuerza que nunca».

Eso, dice, es la razón por la cual se le ha dificultado tanto permitir que su hermana asuma más responsabilidades y tome sus propias decisiones.

«Vino a mi casa directamente de la cárcel», me dice Laura. «Era muy humilde y tenía la actitud de "Eres mi jefa". Eso funcionó bien, porque yo quería que hiciera lo que le dijera, y la trataba como una niña.»

No hay duda de que las preocupaciones de Laura son reales. A su hermana a veces se le olvida tomar sus medicamentos, y ha estado tras el volante cuando no está en un estado mental apropiado para conducir. Pero los esfuerzos continuos de Laura por controlar el comportamiento de su hermana hacen que ambas sigan atoradas.

«He hecho que siga dependiendo de mí por miedo a que vaya a tomar malas decisiones. He acabado por resentirlo, y ella lo resiente también. Eso no permite ningún crecimiento, y me he convertido en tirana. Simplemente tengo que soltar y dejar de ser tan temerosa y dejar que Dios la ayude a hacerse camino.»

La oración le ha ayudado a Laura a entender que, al elegir distintas opciones para ella misma como madre y hermana, cambia para bien la dinámica de esas relaciones.

«Si te aferras tan fuerte a controlar a la gente de tu alrededor y no se lo cedes a Dios, te va a explotar en la cara. He experimentado eso suficientes veces como para saberlo. Pero esos hábitos antiguos son difíciles de romper. Hasta que fui a un taller de *La pequeña oración* no entendía por qué. Es porque el temor es un impulsor poderoso de esos hábitos.»

Para ayudar a cambiar esos hábitos, Laura está haciendo cambios pequeños pero significativos. Llevó a su hermana a una noche de karaoke porque le encanta cantar. «Quiero que hagamos cosas más alegres juntas», dice Laura. También está relajando su tendencia a juzgar, para que pueda recibir a su hermana con «facilidad en vez de con hostilidad» cada vez que entre en la habitación.

Básicamente, Laura ahora se da cuenta de que lo mejor que ella puede hacer como madre y hermana es pedir que sus propios pensamientos basados en el miedo sean sanados.

«Parece egocéntrico enfocarme en mí», dice. «Pero la realidad es que si no me ocupo de mi propio espíritu, para nada sería capaz de ayudar a otras personas.»

> Si tu preocupación por los demás adopta la forma de control, pide esto: *Por favor, sana mis pensamientos basados en el miedo acerca de la gente que hay en mi vida para que la pueda tratar con respeto y confiar en que Dios la ayudará a crecer.*

once

Cómo la oración puede cambiar al mundo

Dos veces en mi vida he tenido sueños en los cuales he sentido felicidad completa. En un sueño, que tuve cuando tenía siete u ocho años, mi familia estaba en nuestro viejo DeSoto, e íbamos manejando por las marcadas curvas en zigzag de una montaña. Cuando llegamos a la cima, me bajé del coche y fui del otro lado de la parte superior de la montaña, donde no vi nada más que pasto verde exuberante. Me senté en la pradera y miré lo verde y sentí paz completa, la paz que trasciende el entendimiento.

En el segundo sueño, fui enviada al espacio en un cohete porque Dios no estaba contento con el rumbo hacia el cual el mundo se estaba yendo y quería recalibrarlo. Planeaba detenerlo por veinte minutos para hacer el ajuste. Durante ese tiempo, sentí quietud absoluta, sabiendo que ningún océano menguaba y fluía, que ningunas nubes flotaban. Sólo quietud sublime y paz.

En ambos casos, despertar del sueño fue un *shock* y una decepción. ¿Por qué no podemos acercarnos a esa sensación de paz aquí en nuestra vida terrenal?

Durante años traté de averiguar qué era esa paz. Pero no fue sino hasta que empecé a estudiar *Un curso de milagros* que me di cuenta: la paz era la ausencia total del temor. Era la sensación de amor verdadero, puro, sin mancha; de la luz que brilla en todos nosotros, libre de cualquier pensamiento o creencia que se base en el miedo.

Así que todavía hago la pregunta: ¿es posible experimentar esa paz en la Tierra? No estoy segura, pero creo que vale la pena pedirla. Y si existe algo que pueda hacerlo, creo que esta oración podría ser la clave.

A lo largo de los siglos, la gente ha preguntado cómo podemos sanarnos a nosotros mismos y sanar el mundo. ¿Cómo podemos dejar de ser gente violenta? ¿Cómo podemos aceptarnos los unos a los otros? ¿Cómo podemos compartir la generosidad del mundo con todos? ¿Cómo podemos encontrar la paz en la Tierra?

El primer paso es reconocer que todos los problemas globales, al igual que los que experimentamos en nuestras vidas individuales, provienen del temor. Estamos atrapados en el mismo ciclo de centrifugado de desesperación, tanto a nivel personal como a nivel universal, porque seguimos pensando que podemos salirnos del lío en el que estamos.

Pero ni intentar, demostrar, lograr, hacer, probar, tener éxito, remodelar, acumular, protestar, alcanzar, correr ni diseñar eliminarán nuestros miedos. Nuestro ego todavía va a estar ahí, listo para reemplazar un temor con otro.

Cuando pedimos que nuestros pensamientos basados en el miedo sean sanados, estamos pidiendo ser libres de cualquier cosa que se interponga en el camino del amor de Dios. Creo que éste es el significado de estar en este mundo, pero no de él: alinearnos tan consciente e intencionalmente con nuestro verdadero Yo que el miedo tenga menos y menos control sobre nosotros. Es amoroso aquietar a la niña de dos años de edad y cantarle una canción de cuna.

En un reciente taller de espiritualidad de la mujer, arrancamos un año de explorar la pregunta: «¿Estás tan feliz como quisieras?» Les pedimos a las participantes que llevaran un diario acerca de lo que la felicidad significa para ellas. Varias se resistieron ante la palabra «feliz» porque parecía frívola o superficial. Algunas prefirieron palabras como «contenta», «tranquila», «dichosa».

Pero cuando empezamos a hablar de lo que esas palabras significan, llegamos a cierto acuerdo. Libertad. Perdón. Satisfacción. La felicidad no necesariamente significa que vas a estar saltando de alegría, pero sí significa que tendrás paz interna, la paz que proviene de saber que estás a salvo, que te cuidan, que puedes confiar en lo que te rodea. Pienso en ello como la paz del Hogar.

Esta paz interior es un deseo universal porque refleja quiénes somos en nuestra esencia como hijos de Dios. Sin importar cuál sea tu religión o cultura, la paz interior es tan codiciada como la armonía en el hogar, la buena salud, la educación, la libertad personal, la compasión y un sentido de pertenencia. Es la clave para la paz en la tierra, de un individuo en uno.

Entonces, ¿la oración realmente puede ayudar con los ¿Puede realmente abordar la opresión extrema, la violencia, la pobreza, los prejuicios, el hambre, las enfermedades, la corrupción y el cambio ambiental?

Déjame preguntarte esto: si esta oración no lo puede cambiar, ¿qué sí puede hacerlo? Los grandes problemas que enfrentamos hoy son los mismos que hemos enfrentado durante generaciones, y todos ellos provienen de patrones muy arraigados de ira, culpa, remordimiento y juicios. Para construir un mundo mejor, para finalmente avanzar en una manera distinta y significativa, todos nuestros pensamientos, palabras y acciones importan. Sólo podemos construir un mundo distinto al que hemos construido anteriormente si esos pensamientos, palabras y acciones son impulsados por el amor en vez del temor.

Imagina

que cualquier persona en el planeta que esté experimentando violencia doméstica use esta oración y sea sanada en cuanto a sus sentimientos de falta de valía, que expresa como victimismo.

Imagina

que los autores de la violencia doméstica usen esta oración y sean sanados de *sus* sentimientos de falta de valía, que expresan al ejercer dominio sobre otros.

Imagina

que la gente que ha perdido su hogar durante un desastre natural use la oración y encuentre incluso mayor fuerza interior para unirse y construir de nuevo.

Imagina

que la gente que esté en áreas que carezcan de empleos estables y suficientes servicios básicos use la oración y encuentre que se abren nuevas oportunidades para brindarle apoyo.

Imagina

que aquellos que se interponen en el camino de la educación —particularmente para las niñas— usen la oración y se sientan menos amenazados por el empoderamiento de los demás.

Imagina

que la gente que ha estado involucrada en batallas desde mucho tiempo atrás use la oración y sea sanada en cuanto al resentimiento, lo cual abriría un camino hacia un futuro forjado por el perdón.

Desde luego, esto puede parecer idealista, pero así es como cambiamos. Volteamos hacia un ideal más alto y lo convertimos en nuestro destino. Pedimos ayuda, como dice *Un curso de milagros*, para vivir «por encima del campo de batalla» de caos y desesperación. Decimos una oración que puede impulsar los esfuerzos humanitarios más allá de lo que nuestras manos humanas podrían hacerlo.

Cuando vemos el mundo a través de la lente de la oración, nos damos cuenta de que la fuerza destructiva no es la gente, sino el miedo. Mientras veamos a los seres humanos como destructivos, los seguiremos culpando, lo cual perpetúa el patrón sin fin de ataque y defensa. Pero cuando pedimos que el temor sea sanado, cambiamos la conversación. Llegamos hasta la causa fundamental de la violencia, la pobreza, el terrorismo, la apatía, el cinismo y la división. Nos liberamos a nosotros mismos y liberamos a los demás con la intención de estar motivados más bien por la acción amorosa.

Un curso de milagros habla sobre el hecho de que no hay jerarquía de milagros, y que la energía del miedo es la misma ya sea que se trate de una persona o de un billón. En otras palabras, la vergüenza, la culpabilidad, la ira, la escasez y la preocupación que sentimos a nivel individual son iguales que esas emociones a una escala global. No podemos usar el pensamiento para escaparnos de ellas, aunque cada segundo nos proporciona una nueva oportunidad para elegir el amor.

«La sanación
tiene que
provenir de
un lugar distinto,
no de nuestra
mente.»

La sanación tiene que provenir de un lugar distinto, no de nuestra mente. El *Curso* dice que la mente de nuestro ego tiene sus raíces en el miedo y lo encuentra en todos los lugares que mira. Es por esto que puedes tener lo que parece ser una vida perfecta y aun así estar infeliz, porque todavía te estás identificando con el ego.

Pero el ego no es todo lo que tenemos. También tenemos una conexión con lo divino, con el Creador, Espíritu. El amor es la otra parte de nosotros de la cual podemos depender porque nos conecta con la mente de un poder superior.

Esto cambia nuestro deseo por las cosas materiales o un nuevo trabajo o una relación, por lo que creemos que nos hará felices, y hace que prefiramos la paz interior, que es lo único que nos puede hacer felices. Vuelve a establecer nuestras prioridades. E imagínate qué pasaría si hiciéramos eso a gran escala.

Conforme digas esta oración consistentemente, crearás la paz en tu propia mente; emanará de ti para transformar tus relaciones, tu trabajo, y tocar a todos a tu alrededor. En esencia, vas a crear un círculo de paz que irá contigo a todas partes. Esto es lo que hace que esta práctica sea revolucionaria, porque la oración no sólo nos sana, sana al mundo.

Imagínate que 1,000 personas crearan un aro de la paz, o 10,000 personas o un millón de personas. En algún momento, en el punto decisivo, podemos crear un mundo que esté menos impulsado por el miedo y más por el amor.

El primer paso es cobrar conciencia de nuestros pensamientos basados en el miedo.

El segundo paso es decir la oración.

El tercer paso es presenciar el milagro y dar gracias por ello.

Es posible que desees hacer un compromiso personal que vaya más o menos así: «Me comprometo a utilizar el poder de esta oración por mi propio bien y por el bien de aquellos que están en mi vida y en el mundo».

Colectivamente hemos creado una sociedad de temor; literalmente existimos dentro de un mundo de dolor. Sin embargo, al usar la oración, tienes el poder de poner el mundo en manos del Espíritu Santo, que puede transformarlo. El miedo separa y divide. El amor unifica y se extiende.

Cuando usas la oración, ayudas a inclinar la balanza hacia el amor.

doce

Preguntas y respuestas

Conforme empiezas a usar la oración, preguntas pueden venirte a la mente. Estas son las más frecuentes para hacer una consulta rápida.

P: ¿Y si no crees en el Espíritu Santo?

R. Está bien. No es necesario creer. Lo único que se necesita es la voluntad de decir la oración y después atestiguar lo que suceda. Mientras haya una apertura, incluso si es diminuta, la sanación se llevará a cabo.

P. ¿Qué pasa si se te olvida pedir?

R. También está bien. No te están calificando al respecto. Y una vez que te acuerdes de pedir, una oración puede liberarte de años de tener miedo.

P. ¿Cuál es el poder al que estoy invocando?

R. Al poder del amor sagrado que todo lo abarca.

«No es
necesario creer.
Lo único que se
necesita es la
voluntad de
decir la oración
y después
atestiguar lo
que suceda.»

P. ¿Qué pasa si la oración no parece estar funcionando?

R. Sigue haciéndolo de todos modos. Tienes años de miedo inculcados en tu interior, así que puede pasar un tiempo antes de que empieces a sentir algún cambio. Por otro lado, podrías sentir un cambio inmediatamente.

P. ¿Qué debo hacer después de decir la oración?

R. Poner atención. Empezar a notar cómo te sientes y cómo cambia el mundo que te rodea. Probablemente experimentes más de lo que podríamos considerar hallazgos fortuitos, o una sensación de que los acontecimientos de tu día fluyen en forma sencilla y suave, como si alguien los estuviera coreografiando para ti. En esencia, eso es exactamente lo que está pasando. Experimentas el orden natural del universo, sin estar obstaculizado por tus barreras de preocupación y control. Relájate dentro de ello. Permite que te lleven cargando.

P. ¿Qué experimentaré al paso del tiempo?

R. Más tranquilidad. Una sensación de que las cosas van a estar bien sin necesidad de preocuparse o tensarse por ellas.

P. ¿Esto hará que me vuelva perezoso o poco ambicioso?

R. No, a menos que así lo desees. Experimentar la facilidad de la vida cuando tus temores han sido sanados hace posible ver la belleza que te rodea y contribuir en formas que quizá no se te hayan ocurrido antes. Esto hace que sea posible que hagas lo que te haga feliz, lo que viniste aquí a hacer, en lugar de tratar de forzar que tu vida se ajuste a las expectativas de alguien más.

P. ¿Todos los problemas y desafíos en mi vida se irán?

R. No necesariamente, pero los experimentarás de manera distinta. Quizá los veas con gracia y perdón más que con ira y resentimiento. Reemplazarás la culpa con la comprensión. Ya no necesitarás crear o perpetuar drama dentro de tu vida. Conforme surjan problemas, serás libre de tomar decisiones bien pensadas por el bien de todos. Dejarás de tratar de complacer a los demás a costa de ti mismo. Y estarás sanado en cuanto a la necesidad de un patrón de ataque y defensa propia, dentro de tu propia mente y en el mundo exterior.

«Pide que tus
expectativas
y tu impaciencia
sean sanadas,
porque ambas
son formas
de miedo.»

P. Me está enojando pedir una y otra vez y no ver resultados. ¿Qué hago?

R. Pide que tus expectativas y tu impaciencia sean sanadas, porque ambas son formas de miedo.

P. Estoy pidiendo que mi mundo cambie, y las personas que me irritan todavía están aquí. ¿Qué estoy haciendo mal?

R. La clave es que no pidas circunstancias distintas o diferentes personas en tu vida, pide *tú mismo* ser cambiado. Cuando eso ocurra, las circunstancias y las personas en tu vida cambiarán.

P. ¿Puedo usar la oración a nombre de alguien más?

R. Sí, aunque la intención no es «componer» a esa persona para complacerte. Una mujer usó la oración a nombre de un joven con un severo trastorno de apego cuya vida entera, dice ella, está regida por el miedo. Durante un período de unos tres meses, vio que él empezaba a confiar más, un cambio que ella llama «verdaderamente increíble».

P. He estado usando la oración durante varios días, y hoy sentí pánico por cosas que antes no me habían molestado. ¿A qué se debe?

R. La sanación se está profundizando. El ego se está poniendo nervioso y portando mal. Sigue pidiendo que *todos* tus pensamientos basados en el miedo sean sanados en los niveles más profundos.

P. ¿Debo pedir que sean sanados pensamientos específicos o pensamientos en general? Por ejemplo, ¿es mejor pedir que todos mis temores acerca del dinero sean sanados, o debería pedir que mi temor respecto a mis ahorros para la jubilación sea sanado?

R. Ambas son oraciones igualmente poderosas. Puedes alternar, o simplemente pedir lo que sea que tengas en mente en cualquier momento. No temas: no te puedes equivocar.

«Sigue pidiendo
que *todos* tus
pensamientos
basados en el
miedo sean
sanados en los
niveles más
profundos.»

trece

Y por último . . .

Sabes cómo es esto. Piensas: «si tan sólo puedo superar esto, entonces la vida será buena». Luego, al momento en que el reto se ha quitado de tu camino, ¿qué sucede? Otro viene a ocupar su lugar.

Sé cómo se siente vivir mi vida a bordo de ese tren fuera de control. Un día estoy nerviosa por una fecha límite para entregar un trabajo. Entonces cumplo con la fecha límite, todo el mundo está contento con mi trabajo, e inmediatamente estoy preocupada por dinero. . . o por una conversación que necesito tener. . . o por un centenar de otras cosas que están esperando tras bastidores para mantenerme en un estado de ansiedad constante.

En realidad, tengo una vida maravillosa. Un marido amoroso, amigos y parientes realmente maravillosos, una hermosa casa, un trabajo que disfruto, buena salud. Y, sin embargo, cuando comencé a realmente prestarles atención a mis pensamientos después del día del CR-V, me di cuenta de que he estado constantemente drogada por el miedo. Creo que la mayoría de nosotros lo estamos.

No es de extrañar que estemos cansados, de mal humor, irritables o con dificultad para llevarnos bien con los demás. O, peor, violentos, calculadores, incapaces de perdonar. Es porque vivimos dentro del miedo y ni siquiera lo sabemos. O si lo hacemos, desconocemos cómo salirnos de ahí.

Así que aquí está la respuesta:
Di la oración.
Di la oración.
Di la oración.
A lo largo de todo el día, di la oración.

Por favor
sana
mis
pensamientos basados
EN EL MIEDO.

En mayo de 2004, un artículo en la revista *Smithsonian* documentó la visita reciente del Dalai Lama a Estados Unidos. Antes de que llegara, los investigadores del Instituto de Tecnología de Massachusetts (MIT, por sus siglas en inglés) decidieron estudiarlo y averiguar por qué está tan malditamente feliz todo el tiempo. Claramente, pensaban, algo debe estar mal.

Dentro del artículo viene una estadística fascinante. Parece que, en una encuesta de treinta años de publicaciones de psicología, los investigadores contaron 46,000 documentos sobre la depresión, y 400 sobre la alegría.

Esas cifras sugieren una verdad sagrada: obtenemos lo que buscamos. Si hemos buscado depresión 46,000 veces y alegría sólo 400, esto dice mucho acerca de aquello en lo que nos enfocamos y de aquello que queremos encontrar.

Estamos partiendo de la premisa de que la vida es una lucha y que tenemos que arreglarla. Pero este es el ego basado en el miedo que trata de justificar su existencia. Cada día busca evidencia de que este mundo es un lugar enfermo y peligroso. Y, por supuesto, si eso es lo que estás buscando, no tienes que buscar mucho para encontrarlo.

Pero, ¿y si partimos de una distinta premisa? ¿Qué tal si partimos de la creencia de que, como hijos de Dios, nuestro estado natural es un estado de equilibrio, armonía y bienestar? ¿Qué pasaría si hubiera 46,000 artículos sobre la alegría y sólo 400 sobre la depresión? La gente diría que estábamos ignorando el problema o viviendo en medio de la negación. Pero *Un curso de milagros*, junto con otros textos espirituales, dice que el equilibrio y la armonía *son* nuestra herencia natural como hijos de Dios. Esto no tiene que ver con el pensamiento positivo. Tiene que ver con liberarse del ego basado en el miedo. Simplemente no podemos avanzar mientras estemos en el ciclo negativo de los pensamientos basados en el miedo.

«Esto no tiene que ver con el pensamiento positivo. Tiene que ver con liberarse del ego basado en el miedo.»

Un curso de milagros dice que el amor es real y que el miedo no. Pero el miedo puede parecer bastante real cuando lo cargas todo el día como si fuera un elefante que llevaras en la espalda. Cuando llena tus células y te provoca un estómago nervioso o dolores de cabeza o trastornos del corazón o cáncer. Cuando interfiere con tu capacidad para dormir, para tener relaciones felices, para perseguir tus sueños.

En vista de lo temible que el mundo con frecuencia parece, podríamos pensar que necesitamos ser temerarios. Pero la oración crea una nueva definición de esa palabra. En lugar de ser valientes ante el peligro, significa experimentar mayor tranquilidad. Cada vez que dices la oración, te vuelves más libre de miedo.

La oración traslada nuestro enfoque desde el mundo exterior hasta nuestra conexión interna con nuestro verdadero Yo y con Dios. Cuando le pides al Espíritu Santo que sane tus pensamientos basados en el miedo, reconoces que tu felicidad no depende del mundo caótico que te rodea. En lugar de eso, depende de la firme paz de Dios dentro de ti.

Creo que nuestro compromiso con la sanación del miedo es la clave para el siguiente paso en la evolución espiritual. Para llevar a cabo un gran cambio en este planeta, necesitamos colaborar con el Espíritu a nivel individual. En el pasado, esto ha sido inhibido por las enseñanzas de que sólo los líderes espirituales o religiosos tienen una línea directa hasta Dios. Pero en las últimas décadas, hemos regresado a la comprensión de que, como hijos de Dios, *todos* estamos conectados directamente con el Espíritu, y podemos desarrollar esa relación como comunidad y en la intimidad de nuestra propia contemplación.

Si vamos a verdaderamente crear un mundo distinto para nosotros mismos y para los demás, necesitamos trabajar con poderes que están más allá de nuestras propias manos. Pero cuando estamos gobernados por el miedo, la colaboración se paraliza o, en el mejor de los casos, se vuelve más lenta. Tratar de llegar a un destino distinto al utilizar a nuestros egos como vehículos es como tratar de remar alrededor del mundo en una canoa.

Para trabajar como cocreadores y colaboradores con la Divinidad, tenemos que tener la libertad de dar y recibir comunicación directa sin que interfiera la estática del miedo. Sólo piensa en la mujer que, tras decir la oración por primera vez, escuchó las palabras: «POR FIN. ¡Ahora realmente podemos hacer algunas cosas!» Creo que ese mensaje exuberante es para todos nosotros. El Espíritu está ansioso de sanar nuestros miedos, no sólo porque vamos a experimentar la abundancia y la alegría de la vida, sino porque tendremos mayor capacidad de generar cambios positivos, lo cual ayudará a cambiar la dinámica del planeta.

Todos tenemos una órbita infinita de viejas cintas de cassette que se tocan en nuestra mente, igual que la ira y la frustración que sentí el día del CR-V. Pedí soltar esas cintas, traté de ignorarlas, intenté entenderlas, traté de llevar mis pensamientos hacia algo más. Pero hasta que se presentó la oración, esos pensamientos seguían atorados en «tocar».

Desde el día del CR-V, he visto que la oración no sólo borra las cintas, sino que realmente te puede ayudar a experimentar todo lo que quieras en la vida: abundancia, salud, vitalidad, amor y tranquilidad.

«La sanación
del miedo es
la clave para el
siguiente paso
en la evolución
espiritual.»

Muchas cosas han cambiado en mi vida en los meses desde que empecé a decir la oración, pero el cambio predominante es una capacidad para la alegría que cada vez se expande más. El miedo ya no limita la cantidad de espacio que hay para el amor en mi vida.

El ego, sin embargo, no quiere que sanes. Insiste en mantenerte atrapado e infeliz, por lo que va a desanimarte y hará que te olvides de hacer la cosa más sencilla del mundo: decir nueve palabras en tu corazón y en tu mente que pueden cambiar tu experiencia de vida y hacerte sentir libre, feliz y ligero. Si lo necesitas, escribe la oración y llévala contigo, ponla en tu teléfono, haz algo para recordarte a ti mismo de ella hasta que se convierta en rutina.

Tomó tiempo llegar hasta donde estás, así que tienes que darle tiempo y paciencia a la oración. Esto puede ser difícil algunos días en los que descubres que constantemente estás pidiendo. Empiezas a darte cuenta de qué tan implacables son en realidad los pensamientos negativos y los que se basan en el miedo. Y puede parecer abrumador, como si estuvieras mirando a un ejército que avanza. ¿Cómo puedes ganar? Ahí es cuando recuerdas que *tú* no puedes, pero el Espíritu Santo sí.

Nuestros egos de dos años no son capaces de estar conscientes de sí mismos, ni de autocorregirse lo suficiente como para soltar el miedo. Tenemos que pedirle a un poder superior a nosotros mismos que nos quite esa carga, que realmente cambie nuestra mente, que nos lleve hasta tener la mente correcta.

Esto es el verdadero significado del pensamiento recto... estar alineado con la energía del amor.

Así que sigue pidiendo. Mantente atento. Ésta es una práctica espiritual. Una solicitud de sanar tus pensamientos no se va a hacer cargo de todo. Sé consciente. Practica esto más que ninguna otra cosa que hayas practicado en tu vida entera. Pero no vas a practicar en vano, aunque a veces así se sienta. Los traqueteos en tu tablero comenzarán a irse, y muchos más quizá desaparezcan por completo.

Usar la oración no se trata de jamás volver a tener otro pensamiento basado en el miedo. Este mundo está lleno de ellos. Nuestras mentes están llenas de ellos. Pero puedes cambiar el equilibrio. Puedes llegar al punto en el que te levantes por la mañana y te vayas a la cama por la noche satisfecho y contento, en lugar de estresado y externado. Puedes experimentar una vida en la que tus relaciones sean armoniosas y te sientas apoyado y amado. Puedes encontrar un propósito en tu trabajo y equilibrar tu profesión con actividades que te brinden alegría. Puedes eliminar las barreras a la abundancia y el bienestar. Puedes mostrarle a tus hijos la belleza de este mundo y ver la luz de Dios en las personas que conozcas.

Todo es posible, y es lo que mereces. Es lo que todo el mundo merece.

Así que di la oración. Sólo tarda un segundo. Es la cosa más sencilla del mundo. Y los resultados están 100 por ciento garantizados.

Una buena compensación, yo diría, por decir nueve pequeñas palabras.

Por favor

sana

mis

pensamientos basados

EN EL MIEDO.

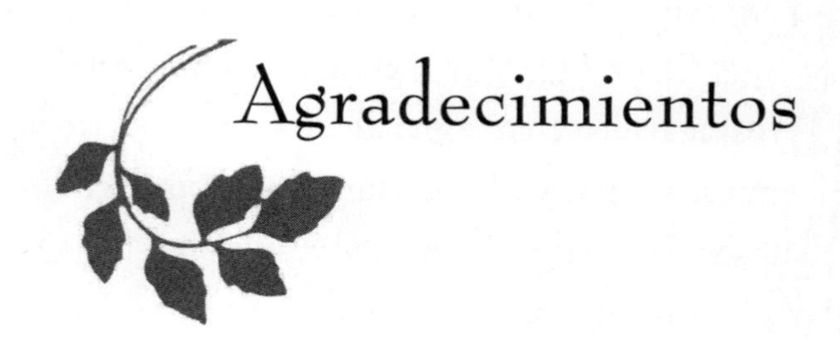

Agradecimientos

Desde el día que la oración se presentó en mi vida, este proyecto ha tenido su propio ímpetu y su propio poder. No tengo ninguna duda de que la oración estaba destinada a ser compartida, y que manos invisibles la guiaron hasta un equipo amoroso y dedicado.

Mi mayor agradecimiento para. . .

Mi agente, Stephany Evans de FinePrint Literary Management, por reconocer de inmediato el poder de la oración e invariablemente ofrecer sus consejos expertos y su amistad a lo largo del camino.

Mi editora, Caroline Pincus, por apoyar este libro desde el principio y dedicarle su atención reflexiva y meticulosa. Ella ha sido una invaluable persona a quien recurrir y la encargada de mantener el orden.

El personal de diseño de Red Wheel / Weiser por tratar el manuscrito con gran cuidado y talento artesanal, lo cual superó cien veces mi visión de lo que podría ser.

Claire Elizabeth Terry, quien hizo que sucedieran milagros al ponerse en contacto con líderes de todo el mundo en representación de la oración. Se ha convertido en una amiga atesorada a través de este proceso.

Mis alumnos de *Un curso de milagros*, por su paciencia cuando yo hablaba incesantemente acerca de pensamientos basados en el temor y basados en el amor, y por darme constante ánimo.

Todos aquellos, nombrados y sin nombrar, quienes me permitieron contar sus historias en el libro. Estoy inspirada por la profundidad de su sabiduría y fe.

Mi esposo, Bob, por estar siempre dispuesto a escuchar cuando le digo: «Tengo algo que decirte», incluso cuando se trata de que aparece (y desaparece) un traqueteo en el tablero. Su constancia, y su capacidad de cuestionar y apoyar, me recuerdan todos los días de los dones que estamos destinados a ofrecernos el uno al otro.

El único Espíritu que me reconfortó con la oración en primer lugar y que hace que todo sea posible. No puedo expresar la profundidad de mi gratitud y asombro.

Y para todos aquellos que utilizan esta oración y la comparten con los demás. Gracias por ayudarnos a trasladar este mundo desde el miedo hasta el amor.

Sobre la autora

Debra Landwehr Engle es cofundadora de un programa para mujeres de crecimiento personal y espiritual y da clases de *Un curso de milagros*. Es autora de *Grace from the Garden: Changing the World One Garden at a Time* y ha colaborado con ensayos con colecciones internacionales, incluyendo *The Art of Living: A Practical Guide to Being Alive*.

Ha viajado ampliamente como oradora y facilitadora de talleres, y vive con su esposo Bob en Madison County, Iowa, hogar de los famosos puentes cubiertos.

Puedes saber más de ella en *www.debraengle.com*.